La machine à rêver

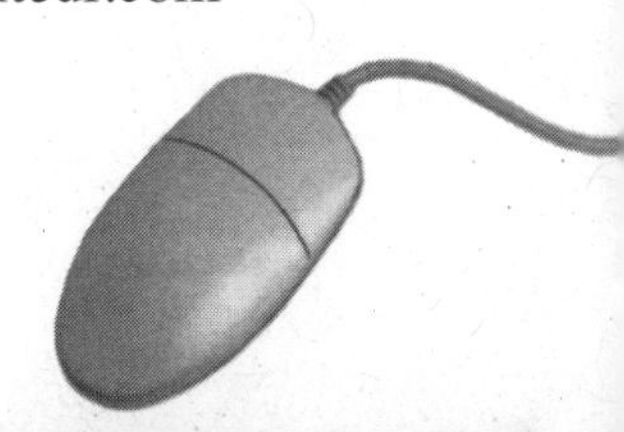

De la même auteure
chez le même éditeur

Un chien dans un jeu de quilles, collection Chat de gouttière
La fugue de Hugues, collection Chat de gouttière
L'affaire Borduas, collection Graffiti

La machine à rêver

Un roman de
Carole Tremblay
illustré par
Jean Morin

case postale 36563 — 598, rue Victoria
Saint-Lambert (Québec) J4P 3S8

Soulières éditeur remercie le Conseil des Arts du Canada et la SODEC de l'aide accordée à son programme de publication et reconnaît l'aide financière du gouvernement du Canada par l'entremise du Programme d'Aide au Développement de l'Industrie de l'Édition (PADIÉ) pour ses activités d'édition. Soulières éditeur bénéficie également du Programme de crédit d'impôt pour l'édition de livres – Gestion Sodec – du gouvernement du Québec.

Dépôt légal: 2010
Bibliothèque nationale du Canada
Bibliothèque nationale du Québec

Données de catalogage avant publication (Canada)

Tremblay, Carole

La machine à rêver

(Collection Chat de gouttière ; 39)

Pour les jeunes de 9 ans et plus.

ISBN 978-2-89607-120-3

I. Titre. II. Collection: Chat de gouttière ; 39.

PS8589.R394M32 2010 jC843'.54 C2010-940968-X
PS9589.R394M32 2010

Illustration de la couverture
et illustrations intérieures :
Jean Morin

Conception graphique de la couverture :
Annie Pencrec'h

ISBN 978-2-89607-120-3

58839

1

DING ! DONG !

Ding ! Dong !
Madame Gagnon sursaute.

— Ah non ! Pas encore un vendeur de chocolat ! s'exclame-t-elle, affolée.

Elle laisse tomber son balai. Son regard fait le tour du salon, à la recherche d'une cachette.

— Je suis au régime ! Je ne peux pas ! Je ne peux pas aller répondre ! Gontran ! Fais quelque chose ! crie-t-elle à l'adresse de son fils. A-t-on idée d'aller tenter les gens jusque chez eux avec des produits qui font grossir ! Si au moins ils vendaient des branches de céleri pour amasser des fonds ! Gontraaaaaaaaaaaaaan !

Le garçon lâche la manette de son jeu vidéo.

— Calme-toi, maman, j'y vais.

— Qui que ce soit, tu dis non. D'accord, mon poussin ? Non. Tant que je n'aurai pas perdu cinq kilos, on n'encouragera plus ni scout, ni voyage scolaire, ni camp de vacances, compris ?

— Mais oui, maman.

Gontran se dirige vers l'entrée. À travers la vitre de la porte, il aperçoit un homme dans un uniforme bleu métallique. On dirait un employé de la poste.

— Relaxe, maman, ce n'est que le facteur.

— Fiou ! fait madame Gagnon, en sortant de la garde-robe où elle s'était réfugiée.

Gontran ouvre la porte d'entrée. Le facteur lui tend une immense boîte.

— Êtes-vous monsieur Gontran Gagné ? demande l'homme moustachu.

— Euh... Ça dépend, répond Gontran.

— Ça dépend de quoi ? fait le facteur, intrigué en haussant un sourcil. Du temps qu'il fait ? De l'alignement des planètes ? De la quantité de « D » dans la soupe à l'alphabet ?

Il a beau faire de l'humour, il n'a pas l'air d'entendre à rire, le facteur.

— Ce que je veux dire, c'est que je suis Gontran Gagné. Mais c'est aussi mon père. Et mon grand-père. Et le père de…

— Oui, bon. J'ai compris. Ce n'est pas la peine de remonter jusqu'aux hommes des cavernes. Moi, tout ce qui m'importe, c'est qu'il y ait un Gontran Gagné dans cette maison pour que je puisse laisser la boîte.

L'homme tire alors de sa poche un mince appareil électronique qu'il tend au garçon.

— Signez ici, s'il vous plaît ?

— Wou ! C'est moderne, votre truc ! s'extasie Gontran.

Le garçon a à peine touché à l'appareil que le facteur le lui retire et repart en marmonnant quelque chose qui ressemble à « merci ». À moins que ce ne soit « pepsi » ou « taxi »? Mais ça serait plutôt étonnant.

— Qu'est-ce que c'est ? demande madame Gagnon.

Le garçon hausse les épaules.

— Un paquet pour Gontran Gagné.

— Lequel ? veut savoir sa mère.

Le garçon hausse de nouveau les épaules.

— Ce n'est pas précisé sur l'adresse.

Madame Gagnon réfléchit.

— Bon, si on élimine les six premiers du nom, qui sont déjà morts, il en reste trois. Ça serait étonnant que ce paquet soit pour ton grand-père, qui a toujours refusé de quitter sa maison mobile pour venir habiter avec nous. Et ton père… eh bien… comme ça fait plus d'un an qu'il est… euh… là-bas.

Depuis que son mari a été pris d'une crise de délire et qu'on l'a interné dans un établissement spécialisé, madame Gagnon a toujours été incapable de prononcer les mots « hôpital psychiatrique ». Quand elle parle du lieu où se trouve son époux, elle dit toujours « là-bas ».

— Qu'est-ce qu'on fait, alors ? demande Gontran.

Il regarde sa mère, les yeux suppliants.

— Oui, bon d'accord, tu peux l'ouvrir. On va dire que c'est toi, Gontran Gagné.

— Mais c'est moi, maman !

Aidé de sa mère, le garçon traîne la lourde boîte jusque dans le salon.

— Pourvu que ça ne contienne rien d'engraissant, marmonne madame Gagnon, tandis que son fils retire les innombrables bouts de ruban adhésif qui la scellent.

Quand les rabats s'ouvrent enfin, le garçon aperçoit une enveloppe sur laquelle est inscrit : « À MON CHER GONTRAN ».

Il lève les yeux vers sa mère. Madame Gagnon lui donne son approbation d'un signe de tête. Le garçon ouvre l'enveloppe et en sort une lettre.

Cher Gontran

Si tu lis cette lettre aujourd'hui, c'est qu'il m'est arrivé quelque chose. Je ne peux malheureusement pas te dire quoi, vu que malgré tous mes efforts, je n'ai jamais été capable de faire fonctionner convenablement ma machine à voir l'avenir. (Ça demeurera un des grands regrets de ma vie.)

Par contre, je crois avoir réussi à mettre au point la fameuse machine à rêver que tu as si gentiment accepté de tester lors de ta dernière visite. Comme tu as été mon premier cobaye alors que j'en étais encore à mes tout premiers essais, j'estime que cette machine te revient.

Fais des beaux rêves.
Avec tout mon amour,
Isabella

— Isabella ? s'écrie madame Gagnon en arrachant littéralement la lettre des mains de son fils. C'est qui, ça, Isabella ?

Elle tourne et retourne le papier en le secouant, espérant peut-être que le document avoue sous la torture. Comme le papier ne réagit pas, madame Gagnon le lance en l'air, attrape Gontran par le bras et le secoue :

— C'est qui, ça, Isabella, hein ?

— Aucune idée, maman. Ce n'est pas la peine de m'arracher le bras.

Madame Gagnon se calme tout d'un coup, comme si quelqu'un venait de la débrancher.

— Excuse-moi, mon poussin. Je ne sais pas ce qui m'a pris.

Elle se laisse tomber par terre, à côté de la boîte.

— Je suis un peu nerveuse, tu comprends. Ce n'est pas facile pour moi. Depuis que ton père est… là-bas… Je me demande toujours ce qui s'est passé. Pourquoi il est brusquement devenu… euh… comme ça.

— Pourquoi il est devenu fou, tu veux dire ?

Les yeux de madame Gagnon roulent dans leurs orbites. C'est toujours l'effet que ça lui fait quand on prononce les mots qu'elle ne veut pas entendre.

— Il n'est pas… comme tu dis. Il est juste bizarrement étrange. Et il y a sûrement une explication. Il lui est arrivé quelque chose. Il a rencontré quelqu'un qui lui a fait du mal. Un extraterrestre peut-être ? Un fantôme ? Un sorcier vaudou ?

Gontran lève les yeux au ciel. Sa mère a beau être une scientifique, depuis que son mari n'est plus là, elle refuse de voir la réalité en face. Elle est prête à croire n'importe quoi.

— Maman…

— On ne se met pas à marcher à reculons et à parler une langue inconnue de tous sans raison, non ?

— Justement, maman. Papa n'a plus toute sa raison.

Les yeux de madame Gagnon font un petit tour d'orbite sans conviction. Elle soupire.

— On ne perd pas la boule, comme ça, du jour au lendemain. Il faut qu'il se soit passé quelque chose. Dommage. Peut-être que cette… cette personne avait des informations sur ce qui est arrivé à ton père… Si seulement on avait su qu'elle existait avant qu'elle ne meure, on aurait pu lui poser quelques questions.

Madame Gagnon tend le bras pour attraper la lettre qui, après son vol plané, s'est délicatement posée en équilibre sur une plante. La pauvre femme ne peut s'empêcher de grimacer en lisant les dernières lignes :

Avec tout mon amour,
Isabella

— Tu crois que Papa avait une autre amoureuse ? demande Gontran.

Il ne veut pas déclencher une nouvelle crise maternelle, mais l'envie de savoir est plus forte que ses craintes.

— On dirait bien, murmure sa mère. Enfin, ça m'en a tout l'air… Mais peut-être pas… Qui sait ? C'est probable... En tout cas, c'est ce que cette lettre laisse croire… Penses-tu ? Je ne sais pas…

Gontran regrette que sa curiosité lui ait fait poser cette question. On dirait que sa mère ne s'arrêtera jamais.

— Pourtant, ce n'était pas le genre de ton père… Il a toujours été incapable de mentir… Mais j'avoue que c'est difficile de penser le contraire en lisant ça. Isabella ? J'ai beau me creuser la cervelle, je ne me rappelle pas avoir jamais entendu parler d'une Isabella.

— Si on regardait ce que contient la boîte ? propose Gontran pour lui changer les idées.

Mais sa mère ne bouge pas. Elle continue sur sa lancée :

— S'il n'avait rien eu à cacher, il m'en aurait parlé... Non, mais c'est vrai. Les preuves l'accablent.

Gontran se lève et ouvre la boîte. Après avoir fait s'envoler une grande quantité de boules de styromousse, il en extirpe un étrange appareil.

— Qu'est-ce que c'est ? demande madame Gagnon, cessant aussitôt sa litanie sans queue ni tête.

Elle avance à quatre pattes vers la table à café où Gontran vient de déposer la machine.

— On dirait une bouilloire avec des écouteurs, murmure-t-elle. Ou un grille-pain avec des antennes. Ou un mélange des deux.

— Ce doit être la machine à rêver, maman, tu sais celle dont la dame parle dans la lettre.

Pendant que son fils fouille la boîte pour vérifier qu'elle ne contient rien d'autre, madame Gagnon fait le tour de la table à café pour examiner la chose sous tous ses angles. Après avoir renversé une nouvelle flopée de boules de styromousse sur le sol, Gontran trouve un petit livret au fond de la caisse.

— MANUEL D'INSTRUCTIONS DE LA MACHINE À RÊVER, lit-il sur la page couverture. C'est bien ça. Je me demande comment ça marche…

Madame Gagnon se redresse comme un ressort qu'on viendrait de lâcher.

— Si tu crois que je vais te laisser utiliser cet appareil, mon petit, eh bien, détrompe-toi tout de suite !

Elle brandit son index. Elle l'agite comme si elle faisait tourner une assiette invisible.

— Jamais, tu m'entends ? Jamais tu n'utiliseras la machine diabolique mise au point par cette… amou… cette amie… cette connaissance, d'ailleurs parfaitement inconnue, de ton père !

— Mais maman…

Madame Gagnon demeure inflexible.

— Ce n'est pas la peine de me « mais-maman-tiser » avec tes yeux d'agneau éploré ! Je ne te laisserai sous aucun prétexte essayer cette machine !

— Mais pourquoi ? Ça a l'air amusant ! Regarde, il est écrit qu'on peut programmer le genre de rêve qu'on a envie de faire : fantastique, action, comique, western… En fait, c'est aussi inoffensif que de choisir un film avant d'aller se coucher. On a juste à sélectionner le style, le nombre de personnages, le décor…

Madame Gagnon prend un ton mélodramatique pour lancer :

— Qui nous dit que ce n'est pas ça qui a rendu ton père comme il est ! Ou qui nous dit que ce n'est pas un piège ?

Gontran est étonné.

— Un piège ? Quelle sorte de piège ?

— Peut-être que cette Isabella n'existe tout simplement pas. Peut-être que c'est un truc de marketing et qu'une fois qu'on aura essayé cette machine, on va être obligés de la payer. Peut-être aussi que la fameuse Isabella n'est pas morte. Que c'est juste une façon qu'elle a trouvée de nous éliminer en nous rendant… f… f…

Madame Gagnon se reprend juste à temps. Dans son emportement, elle allait prononcer le mot fatidique qu'elle refuse d'entendre. Elle se reprend en parlant plus lentement :

— De nous rendre… comme papa. Tu comprends ce que je veux dire ?

— Mais pourquoi voudrait-elle nous rendre tous fous ?

Les yeux de madame Gagnon font deux tours dans leurs orbites.

— Parce qu'elle est f… f… folle elle-même !

Madame Gagnon retombe assise. Sur le canapé cette fois. Avoir réussi à dire ce satané mot l'a vidée.

— Qu'est-ce qu'on va faire de la machine, alors ? demande Gontran, déçu.

Il caresse le métal de l'étonnant appareil, comme si c'était un pauvre animal qu'il allait devoir abandonner. La question vise dans le mille. Sa mère ne sait pas trop quoi répondre.

— On va… On va… bégaye-t-elle. On va la renvoyer à son expéditeur, tiens !

Madame Gagnon se lève d'un bond et se jette sur la boîte.

— D'ailleurs, ça me fait penser, il doit bien y avoir l'adresse de l'expéditeur, quelque part ? marmonne-t-elle en retournant la boîte sens dessus dessous.

Le temps qu'elle trouve ce qu'elle cherche, les quelques boules de styromousse qui étaient encore dans le fond de la boîte en profitent pour s'évader et rouler sous les meubles.

— Ah ! La voilà ! 259, rue du Triangle, Île d'Ailleurs. Île d'Ailleurs ? Qu'est-ce que c'est que ça encore ? Je n'ai jamais entendu parler d'une île avec un nom pareil !

— Tu crois que c'est là que vivait Isabella et que papa a essayé la machine à rêver ?

Les paupières de la mère de Gontran se mettent à cligner étrangement. Ses yeux roulent dans leurs orbites, mais dans des sens opposés. C'est un peu effrayant. « Tiens, on dirait qu'on va devoir rayer le nom d'Isabella de la liste des mots à utiliser devant maman, pense le garçon. Au rythme où ça va, on va bientôt être obligés de parler avec les mains... ».

— Je n'en ai aucune idée, répond madame Gagnon, après avoir repris le contrôle de son visage. Une chose est sûre. C'est à cet endroit qu'on va renvoyer la boîte...

Elle saisit le grille-pain à antennes.

— En plus, cet appareil ne m'inspire rien qui vaille...

— Mais maman, c'est ridicule. Ce n'est pas la peine de le remettre à la poste. On n'a qu'à le jeter à la poubelle.

— Pour que quelqu'un le trouve et s'en serve ? Et que je me sente responsable pour le reste de mes jours s'il se passe quelque chose ? Pas question !

Là-dessus, elle plonge sur le sol et commence à ramasser des boules de styromousse pour les remettre dans la boîte.

—Je ne comprends pas pourquoi tu veux retourner la machine à Isa... à la dame puisqu'elle est morte.

Madame Gagnon cesse son pelletage de boulettes et se retourne vers Gontran.

—Écoute, mon poussin. Il y a bien quelqu'un qui l'a envoyée, cette boîte. Elle ne s'est pas mise à la poste toute seule.

Gontran doit bien admettre que sa mère a raison. Ce n'est sûrement pas le cadavre d'Isabella qui est allé porter le paquet au bureau de poste.

—Eh bien, poursuit sa mère, tout en continuant sa chasse aux boulettes, la personne qui s'est occupée de l'envoyer, s'occupera de la recevoir. Voilà, c'est tout. Je ne veux plus en entendre parler.

—Et si on allait la lui porter en mains propres ? On ne sait jamais. Cette personne pourrait peut-être nous aider à comprendre ce qui est arrivé à papa ?

—C'est la danse des canards, qui barbotent dans la mare... chantonne madame Gagnon, pour signaler à son fils qu'elle ne l'écoute plus.

Gontran se résigne. La danse des canards est l'arme suprême de sa mère. Il n'a jamais réussi à la vaincre.

2

LA MACHINE À RÊVER QUI FAIT RÊVER

Le soir, dans son lit, Gontran n'arrive pas à dormir. Il se tourne et se retourne en pensant à son père devenu subitement fou, à sa mère tellement perturbée qu'elle n'est pas loin d'avoir perdu la boule, elle aussi. Mais, pour être honnête, ce qui occupe encore davantage le cerveau en ébullition du jeune garçon, c'est la machine à rêver. Si au moins il pouvait l'essayer une fois... Juste pour voir. Il pourrait se programmer un tour de fusée intergalactique décapotable, devenir un héros en sauvant la belle Marianne des mains d'un dragon bleu à bec de canard, transformer le prof d'anglais en hamster rose et frisé. Les possibilités de divertissements nocturnes sont infinies. Et s'il se levait pour aller voir l'appareil de plus près ? Seulement le voir, se promet-il. Bon, et peut-être lire quelques lignes du manuel d'instructions... Histoire d'avoir une idée de son fonctionnement.

OK. Il y va. Après tout, sa mère lui a interdit d'utiliser la machine. Elle n'a pas dit qu'il n'avait pas le droit de la regarder. Même s'il ne désobéit pas vraiment, Gontran préfère que sa mère ne l'entende pas se lever. Ça pourrait l'inquiéter. Elle est déjà assez nerveuse comme ça.

Le plus difficile, c'est d'ouvrir la porte de la chambre sans qu'elle grince. Gontran déploie tout son savoir-faire pour y arriver. Ça y est. La porte est ouverte. La traversée jusqu'au salon est un jeu d'enfant. Le garçon sait exactement quelles sont les planches qui craquent et celles qui ne craquent pas. Il a déjà tout repéré dans le temps de Noël, quand il voulait aller ausculter les cadeaux empilés sous le sapin.

La veilleuse du corridor est allumée. Ça tombe bien, pense Gontran, il fera sûrement assez clair pour lire le manuel d'instructions. Il ne courra pas le risque d'alerter sa mère en allumant la lumière.

Le garçon avance lentement vers le salon, un pas après l'autre. Quand il aperçoit la boîte à côté du canapé, son cœur se met à battre plus vite.

Les rabats de la boîte sont refermés, mais ils ne sont pas collés. C'est étrange. Gontran est pourtant persuadé qu'il a vu sa mère sceller la boîte tout à l'heure. Au fond, c'est mieux comme ça. Ce ne sera que plus facile. Le garçon soulève les pans du couvercle et plonge les deux mains dans les boules de styromousse. Mais il a beau brasser et rebrasser les boulettes, il ne trouve rien. La machine n'est plus là. Et le livret d'instructions non plus.

— C'est toi, Gontran ? demande tout à coup madame Gagnon, du fond de sa chambre.

Le garçon sursaute tellement qu'il a l'impression d'avoir reçu une décharge électrique. Sur le coup de la surprise, il envoie en l'air des dizaines de boulettes de styromousse.

Elles sont encore en train de retomber sur sa tête en mini-tempête de neige quand sa mère apparaît dans l'encadrement de la porte.

Elle tient la machine à rêver dans ses mains et le manuel d'instructions est coincé sous son bras.

—Que... qui... qu... bafouille Gontran, encore sous le choc.

—Il me semble que ce serait plutôt à moi de poser la question, dit sa mère.

Elle dépose la machine sur la table à café et retire une boulette de styromousse qui s'est logée entre deux de ses orteils. Gontran ne dit pas un mot. Il attend que le discours moralisateur de sa mère commence. Mais madame Gagnon se mord la lèvre et ne semble pas pressée de disputer son fils.

—Tu as peut-être raison, finit par dire madame Gagnon.

—À quel sujet, maman ?

—Cette machine est vraiment intrigante.

—Tu l'as essayée ?

—Es-tu f... f...

Les yeux de madame Gagnon partent pour un grand tour, mais s'arrêtent en chemin.

—Non, mais j'avoue que j'en avais bien envie. Je donnerais tant pour passer mes nuits à rêver que j'ai cinq kilos en moins et que ton père est de retour avec nous.

Ses yeux papillonnent comme si elle voyait la scène. Ses paupières cessent brusquement leur petit va-et-vient et ses mains saisissent une partie de son abdomen particulièrement rebondie.

— Mais contrairement à mes bourrelets, ton père n'est toujours pas avec nous.

Madame Gagnon a un léger hoquet et essuie le timide début de larme qui pointe à son œil gauche. Puis son visage se ferme et c'est d'un ton sévère qu'elle lance :

— Et toi, est-ce que tu peux me dire ce que tu fais debout, à cette heure-ci ?

— Je... balbutie Gontran. Je... voulais la voir. Juste la voir. Et peut-être aussi un peu comprendre comment ça marche. Je te jure que je ne l'aurais jamais essayée sans ta permission.

— Tu l'as.

— Quoi ? s'étrangle Gontran.

Il croit rêver. Est-ce que sa mère veut vraiment dire qu'il va pouvoir essayer la machine ?

— Tu as ma permission, reprend sa mère, comme si elle lisait le point d'interrogation sur le visage de son fils.

Gontran n'en croit pas ses oreilles.

— C'est vrai ? s'écrie-t-il.

Un sourire béat illumine son visage.

—J'ai lu le manuel d'instructions en entier, continue sa mère, et le maniement de cet appareil m'apparaît assez sécuritaire. Si, comme je le pense, la machine à rêver utilise simplement les ondes alpha et la programmation énergético-rétroactive, je ne vois pas ce qui pourrait t'arriver de bien grave. Après avoir réfléchi, je me suis dit que je n'avais pas le droit de te priver d'une expérience comme celle-là.

—Oh ! Merci maman !

—Je t'accorde donc la permission de l'essayer une fois avant qu'on la retourne. Une fois, mais une seule. On est d'accord ?

Le garçon fait signe que oui.

—Et à une condition.

Gontran est prêt à tout. À tout ce que voudra sa mère, pourvu qu'il puisse essayer la machine.

—Laquelle ?

—Que tu retournes au lit immédiatement pour que je te l'installe !

Le garçon n'a jamais couru se coucher avec autant d'enthousiasme. Il bondit littéralement jusqu'à son lit. Il se glisse entre ses draps, le sourire aux lèvres, tandis que sa mère le suit en trottinant.

—Bon, voilà, il faut d'abord que tu mettes ce casque, dit madame Gagnon en enfilant un appareil qui ressemble à un écouteur pour cinq oreilles sur la tête de son fils.

Les cinq coussinets prennent appui en différents endroits de son crâne. « C'est sûrement pour diffuser les ondes alpha dont m'a parlé maman », pense Gontran.

— Maintenant, dis-moi : quel genre de rêves souhaites-tu faire, mon poussin ? Ah ! Eh puis, tiens, c'est peut-être plus simple que tu choisisses toi-même.

Sa mère lui tend une télécommande.

— Tu n'as qu'à sélectionner les options dans le menu avec ce stylet.

Gontran se trémousse sous les couvertures tellement il est excité. Il attrape les instruments que lui tend sa mère et commence sa programmation :

Genre : Fantastique ultra deluxe

Décor : Vallée du Gnome chauve

Personnage principal incarné par le rêveur : Gontran, prince des elfes

Allié : Magellan, chef de l'armée des hommes-tigres

Ennemi : Humbaba, le sorcier

Degré de réalisme :

Gontran hésite. Il ne connaît pas la machine. Il ne voudrait pas que son expérience se transforme en cauchemar. Par contre, comme c'est probablement la seule occasion qu'il aura d'essayer la machine, il en veut pour son argent. Autant y aller à fond. Le garçon coche donc « réalisme maximum » dans la petite case prévue à cet effet.

Madame Gagnon, qui suit toutes les étapes derrière l'épaule de son fils, émet un petit grognement désapprobateur.

— J'ai peur que ce ne soit un peu trop fort pour un débutant. Si tu y allais avec 80 % de réalisme ?

Gontran râle pour la forme. Mais, au fond, il est un peu soulagé. La machine l'attire, mais elle l'effraie tout de même un peu. Il rectifie donc le pourcentage de réalité dans le menu à l'aide du stylet.

— Bon, eh bien, il ne reste plus qu'à la mettre en marche, annonce madame Gagnon. Je m'en occupe.

Elle recule jusque dans le corridor.

— Pourquoi tu vas si loin ? s'écrie Gontran, intrigué. Je ne vais quand même pas exploser !

— Tout simplement parce que…

Madame Gagnon prend le manuel d'instructions, l'ouvre à la page 8 et lit :

« Mesure de sécurité : Cet appareil ne doit jamais être utilisé sans surveillance, car le rêveur doit être réveillé d'urgence s'il devient somnambule. Pour éviter qu'un utilisateur se serve de l'appareil seul, la mise en marche doit obligatoirement se faire à l'aide d'une télécommande placée à plus de trois mètres du rêveur. » Est-ce que ça répond à ta question ?

Gontran fait signe que oui. Sa mère dépose le manuel et reprend la télécommande.

— Tu es prêt, mon poussin ?

— Super prêt ! répond Gontran.

— On y va, alors ! Fais de beaux rêves !

Madame Gagnon appuie sur le bouton et Gontran sent immédiatement ses paupières s'alourdir. La dernière chose qu'il voit avant de sombrer dans le sommeil, c'est le visage de sa mère, éclairé par la veilleuse du corridor, qui le regarde avec des yeux inquiets.

Puis, c'est le noir.

3

GONTRAN, PRINCE DES ELFES

Quand Gontran reprend ses esprits, il n'est plus en pyjama dans son lit. Il porte des vêtements tissés avec de la fibre de nénuphar, cousus avec du fil d'araignée. Il marche dans un des marécages si caractéristiques de la Vallée du Gnome chauve. Malgré l'obscurité totale de cette nuit sans lune, on sent que le temps est à l'orage. Les feuilles s'agitent dans les arbres et des éclairs zèbrent le ciel.

— Le vent vient de changer, rugit Magellan, le chef des hommes-tigres qui marche à ses côtés. C'est mauvais signe, mon prince. Le sorcier Humbaba a sûrement commencé ses incantations.

Un serpent à plumes hulule dans le lointain. On dirait un cri de détresse. Le prince Gontran sent son cœur se serrer dans sa poitrine.

— Tu as raison, rétorque-t-il, en accélérant le pas. Il faut faire vite. Si nous n'arrivons pas avant le lever du jour, mon peuple, tout comme le tien, sera en grand danger. Si seulement ce satané sorcier n'avait pas réussi à s'échapper de la faille de l'espace-temps dans lequel mes ancêtres l'avaient emprisonné !

Magellan serre les crocs de sa puissante mâchoire.

— Quelqu'un l'a sûrement aidé, mon prince.

Gontran ralentit le pas pour mieux déchiffrer l'expression de son fidèle compagnon.

— Tu veux dire qu'il y a un traître parmi nous ?

— Je ne vois pas comment ce serait possible autrement, répond Magellan. Vous savez comme moi que, de tous les mondes de l'univers, seuls les elfes et les hommes-tigres détiennent la clé qui ouvre la quatrième dimension. Ce n'est pas pour rien que les destins de nos peuples sont si liés.

Gontran, le prince des elfes, accuse le choc. Il n'avait pas pensé qu'un des leurs pouvait les avoir trahis.

— Mais qui a intérêt à faire revenir ce monstre sur nos terres ?

Magellan hausse les épaules. Sa fourrure fauve s'agite dans le vent. On dirait des vagues malmenées par la tempête.

— Je l'ignore. Tout ce que je sais, c'est que Humbaba est malin, mon prince. Voilà trois siècles maintenant qu'il prépare sa malédiction. Sa haine a gagné en force.

La phrase de Magellan est ponctuée par le bruit sec d'une branche qui se casse. On dirait que la température vient de chuter de dix degrés. Le prince Gontran ne peut s'empêcher de frissonner.

— Le seul moyen de l'arrêter, c'est d'arriver au cimetière avant la fin de ses incantations. J'ai peur que les minutes ne soient comptées, mon prince. Mon instinct me dicte d'aller plus vite. Montez sur mon dos. Je vais passer en mode bioturbo.

Le prince ne ralentit même pas sa marche.

— Pas question, Magellan ! Tu vas t'épuiser trop rapidement. J'ai besoin que tu gardes toutes tes forces pour le combat.

— Ne vous en faites pas, prince Gontran. L'air est plein d'électricité, ce soir. Je vais me recharger en captant l'énergie du prochain éclair.

Le prince réfléchit un quart de seconde.

— Tu as peut-être raison. Allez, soit ! Faisons comme tu dis.

Gontran grimpe sur le dos de l'homme-tigre. La bête humaine se met alors à galoper. Il accélère sans cesse, malgré tous les obstacles qui jonchent les steppes marécageuses de la Vallée du Gnome chauve. Puis, d'un coup, les deux compagnons quittent le sol. Ils s'envolent littéralement au-dessus des arbres. La sensation est incroyablement agréable. Le vent fouette le corps et le visage de Gontran. Un léger vertige crée des remous dans son ventre, un vertige qui lui donne l'impression d'être vivant, plus vivant qu'aucun être vivant de la planète, de la galaxie, de l'univers...

Du haut des airs, il aperçoit soudain un feu au loin, au milieu d'une clairière. Non, ce n'est pas une banale clairière, c'est un cimetière. Le cimetière de son peuple. Là où tous ses ancêtres sont enterrés depuis la création du monde.

Le vent est si fort, à l'orée des nuages, là où vole Magellan, qu'il est difficile de garder les yeux ouverts. À travers les larmes qui se forment sous ses paupières, le prince essaie de décrypter ce qu'il voit. Il distingue une forme qui s'agite à côté du feu. Cette silhouette brandit un bâton.

—C'est Humbaba, rugit l'homme-tigre. Il tient le sceptre de vos ancêtres à la main !

—Le scélérat ! Comment a-t-il fait pour s'en emparer ?

—Je l'ignore. Une chose est sûre, il faut éviter à tout prix qu'il le plonge dans les flammes. Il risque de réveiller les âmes des elfes morts pour les liguer contre nous. Accrochez-vous, mon prince. Il faut foncer !

Gontran n'a que le temps de s'agripper aux épaules de Magellan. Il sent ses entrailles se tordre dans son ventre tant l'accélération de la descente est grande. Il peine à garder les yeux ouverts. Il devine plus qu'il ne voit Humbaba approcher le sceptre du brasier. Est-il encore possible d'arriver à temps ? Et surtout, Magellan et lui vont-ils survivre à l'impact ? La seconde de vérité approche. Soudain, tout devient flou. Humbaba semble s'être évaporé. Un ronronnement étrange se fait entendre, quelque part, vers la gauche. Gontran ne comprend plus rien.

— Qu'est-ce qui se passe, Magellan ?

Mais l'homme-tigre ne répond pas.

— Magellan ? appelle Gontran. Magellan ? Quel est ce bruit ?

Une télécommande passe dans le ciel. Une bouche s'y dessine et s'adresse au prince en chantant :

— Ne t'en fais pas, Gontran, Sonia, la fée suprême, veille sur toi.

— C'est étrange, Magellan, murmure le garçon. Sonia, c'est le nom de ma mère.

Une pluie de boulettes de styromousse s'abat soudainement sur lui.

— Magellan ? appelle de nouveau Gontran.

Le vent faiblit. On dirait que l'homme-tigre est en perte de vitesse. Mais le prince Gontran ne peut jurer de rien, car les boulettes obstruent sa vision. Le garçon ne sait plus où il est ni où il va. Le ronronnement est de plus en plus fort. Ça se rapproche dangereusement. On dirait que c'est juste à côté de lui.

Gontran ouvre les yeux.

Il est dans son lit. Sa mère, endormie par terre dans le corridor, ronfle suffisamment fort pour faire vibrer les cadres accrochés aux murs.

Le garçon met quelques minutes à remettre ses idées en ordre. À comprendre que le ronflement ne provient pas du bruissement des ailes de la fée suprême mais bien du nez de sa mère.

«Wow ! » murmure Gontran, en s'asseyant dans son lit.

Il a l'impression de sentir encore le vent sur son visage et l'indescriptible sensation de puissance et de liberté qu'il a éprouvée en volant sur le dos de l'homme-tigre.

Il meurt d'envie de savoir si le prince des elfes et son fidèle Magellan sont arrivés à temps pour arrêter Humbaba, mais il a beau fermer les yeux et essayer de se concentrer, le rêve est déjà terminé. C'était trop court. Beaucoup trop court. Il ne peut pas croire que sa mère va l'empêcher de renouveler une expérience aussi incroyable. C'est mieux que tous les films, tous les jeux vidéo, tous les manèges qu'il a essayés dans sa vie.

S'il n'y avait pas cette histoire de mesure de sécurité qui oblige l'utilisation d'une télécommande à distance, il profiterait du sommeil de sa mère pour redémarrer immédiatement la machine. Au moins pour savoir si Magellan et le prince Gontran sont encore vivants.

—Maman, s'il te plaît, chuchote-t-il malgré lui. Une dernière fois, au moins. Laisse-moi l'essayer une dernière fois…

Le ronflement de sa mère s'arrête pendant un moment comme si elle réfléchissait. Puis elle se met à marmonner :

— Non, non. Pas de chocolat tant que tu n'auras pas perdu cinq kilos. Mange plutôt une carotte. Une belle carotte. Une carotte. C'est bon les carottes.

Elle émet ensuite une suite de sons incompréhensibles et se remet à ronfler.

Malgré ses regrets et ses émotions encore confuses, Gontran a pitié de sa pauvre mère, étendue dans le corridor. Elle va avoir mal partout quand elle va se réveiller.

Gontran retire le casque de la machine à rêver. Il se lève et va s'agenouiller à côté de la ronfleuse.

— Maman... réveille-toi. C'est l'heure d'aller dans ton lit maintenant.

— Hein ? Quoi ? Qui êtes-vous ? Que me voulez-vous ?

— C'est moi, maman. Tu t'es endormie dans le corridor pendant que...

Gontran n'a pas le temps de finir sa phrase que sa mère est complètement réveillée. On dirait qu'elle vient de recevoir une dose de café par intraveineuse.

Elle pose la main sur le front de son fils.

— Tu vas bien, mon poussin ?

Elle lui caresse les cheveux, lui tâte les épaules, lui examine les yeux.

— Tu es normal ? Tu n'as rien ?

Elle le force à se lever et à faire un tour sur lui-même.

— Parle-moi… Dis-moi quelque chose. Pourquoi tu ne me parles pas ? demande-t-elle, angoissée, en secouant son fils par le bras. Hein ? Pourquoi ? Pourquoi ?

— Tout simplement parce que tu ne m'en laisses pas le temps ! rétorque Gontran un peu étourdi par le flot ininterrompu qui sort de la bouche de sa mère.

— Ah fiou ! s'écrie madame Gagnon en serrant son fils dans ses bras. Tu es sain et sauf. J'ai eu tellement peur !

— Ça ne t'a pas empêchée de dormir en tout cas !

— Qu'est-ce que tu racontes ? J'ai à peine fermé les yeux.

— Tu ronflais tellement fort que tu m'as réveillé ! À cause de toi, je n'ai même pas pu voir la fin de mon rêve.

Madame Gagnon lève les yeux au ciel.

— N'importe quoi ! Tu dis n'importe quoi ! Alors, c'était comment ?

Gontran secoue la tête. Les mots lui manquent pour décrire l'expérience qu'il vient de vivre.

— C'était... Euh... Génial ! résume-t-il dans un soupir.

— Tant que ça ?

— Mieux que ça.

Madame Gagnon sourit.

— Eh bien, je suis contente que ça t'ait plu.

Elle embrasse son fils, puis se dirige vers la chambre pour récupérer l'appareil.

— Maman...

Comme ça arrive souvent, Gontran n'a pas le temps de finir sa phrase. En fait, il ne l'a même pas commencée que sa mère réplique, sans même se retourner :

— On avait dit une fois. Une fois seulement.

Elle saisit la machine, ramasse le casque qui traîne entre les replis de l'édredon et se dirige vers le salon.

— Mais maman... Il faut que je sache si le prince Gontran et son fidèle Magellan vont parvenir à arrêter le sorcier Humbaba avant que ses incantations maléfiques réveillent les âmes des elfes morts !

Madame Gagnon s'arrête brusquement. Il n'y a que sa tête qui fait un lent, très lent demi-tour :

— Hein ?

Un mélange d'étonnement et d'effroi se peint sur son visage aux traits tirés.

— Est-ce que je suis censée comprendre quelque chose au charabia qui vient de sortir de ta bouche ?

Elle lance pratiquement l'appareil sur le canapé et va se planter devant son fils. Elle lui saisit les deux poignets.

— Rassure-moi, Gontran. Tu n'es pas devenu… f… f…

Ses yeux ont l'air de prendre leur élan pour un grand tour, mais ils s'immobilisent dans un coin.

— Tu n'es pas devenu… comme papa ?

— Mais non, voyons. C'est juste que dans mon rêve…

Les yeux de madame Gagnon reprennent leur place en face des trous.

— Récite-moi la table de multiplication de 8 pour me prouver que tu as toute ta tête.

— Maman…

— La table de 8 ! ordonne sa mère d'un ton sans réplique.

Le garçon soupire et commence à réciter pour faire plaisir à sa mère.

— 8 x 1 = 8, 8 x 2 = 16, 8 x 3 = 18…

— GONTRAN !!!!!

Madame Gagnon crie tellement fort que le garçon recule d'un mètre sous l'effet de la surprise. Il regarde autour de lui, convaincu que quelque chose menace sa vie. Une lampe va tomber du plafond. Un scorpion s'apprête à le piquer. Un camion va foncer dans le salon à travers la baie vitrée. Mais non, il n'y a rien. Seulement sa mère, excédée, qui gronde :

— Combien de fois va-t-il falloir que je te répète que 8 x 3 font 24 et non pas 18 !

Gontran est presque soulagé de se faire engueuler tant il a l'impression d'avoir échappé à un grand péril.

— Tu vois bien que je suis dans mon état normal, maman !

Madame Gagnon se détend.

— C'est vrai. Mais bon, ce n'est pas tout, ça. Demain est un autre jour. Un jour où il faudra se lever pour aller à l'école. Alors, allez, au lit !

Gontran pointe timidement le doigt vers l'appareil qui gît toujours à l'envers sur le canapé.

— Je ne pourrais pas… Juste une dernière fois… Juste cinq minutes ?

Sa mère secoue la tête de gauche à droite d'un air navré.

— On avait dit une fois, une seule. Tu étais d'accord, Gontran.

— Une toute petite dernière fois. S'il te plaît, maman. Juste pour savoir si le prince Gontran et Magellan vont réussir à empêcher le vilain Humbaba…

— Tu n'as qu'à imaginer la suite toi-même, mon poussin. Après tout, cette histoire sort de ton imagination.

— Oui, mais ce n'est pas pareil sans la machine… Ce n'est pas aussi… je ne sais pas comment dire… vrai.

Madame Gagnon fait semblant qu'elle n'entend pas. Elle va ramasser la machine sur le canapé en chantonnant.

Eh oui. C'est encore une fois vaincu par la danse des canards que Gontran retourne dans sa chambre pour se coucher.

4

AU REVOIR, MAMAN ET ADIEU, MACHINE !

Madame Gagnon attaque la deuxième biscotte de son petit-déjeuner. Elle est tellement perdue dans ses pensées qu'une fois la biscotte engloutie, elle continue machinalement de grignoter, entamant le bout de l'ongle de son index.

—À quoi tu penses, maman ? demande Gontran.

—À rien, ment madame Gagnon. À rien, mon poussin. As-tu bien dormi ?

Gontran voudrait bien répondre « oui » pour faire plaisir à sa mère, mais ce n'est pas vrai. Il n'a pas fermé l'œil de la nuit, tourmenté par le destin du prince Gontran et de son acolyte Magellan. Toute la nuit, il a eu la désagréable impression de les avoir abandonnés. Comme si ce monde existait vraiment et qu'il en était le prince pour de vrai. Mais comment expliquer ça à sa mère sans qu'elle croie qu'il est devenu fou ? Aussi ne prend-il pas la peine de répondre. De toute façon, madame Gagnon semble déjà avoir oublié sa question.

Les yeux mi-clos, elle entame sa troisième et dernière biscotte matinale. La pellicule de confiture sans sucre qui la recouvre est tellement mince qu'elle a l'air d'une couche de peinture. Mais ça semble être le cadet des soucis de madame Gagnon. Visiblement, son cerveau roule à fond de train. C'est juste si des étincelles ne lui sortent pas par les oreilles.

— Vas-tu poster la machine à rêver aujourd'hui ? demande Gontran.

Il a de la difficulté à maîtriser le trémolo de sa voix. Une boule de tristesse s'empare de son gosier, comme s'il allait devoir quitter ses meilleurs amis.

— Bien sûr, mon chéri. C'est ce que nous avions convenu, non ? Allez, va te préparer. L'autobus scolaire va bientôt arriver.

Gontran se lève malgré lui.

—Mais maman ! Je ne peux pas ! Si je ne retourne pas au cimetière, Humbaba va plonger le sceptre dans les flammes. Il va prendre le contrôle de l'âme des elfes morts. Il faut que j'aille empêcher ça. Il y va de la survie de nos peuples !

Sous le coup de la surprise, madame Gagnon écrase le dernier bout de sa biscotte entre ses doigts. Les miettes collantes vont se répandre sur les chatons de sa robe de nuit. Elle regarde son fils, horrifiée.

—8 x 3 ? réussit-elle à articuler après un long moment de silence.

—24 ! répond Gontran.

Madame Gagnon se lève tellement vite qu'elle renverse sa chaise.

—Je le savais ! Je le savais que tu n'étais pas dans ton état normal ! Cette machine a détraqué ton cerveau ! Normalement tu aurais répondu 18 !

—Tu ne vas quand même pas me disputer parce que je connais mes tables de multiplication !

—Non, ce n'est pas juste ça. Je vois bien que quelque chose ne tourne pas rond dans ta tête depuis que tu as utilisé cette machine ! N'essaie pas de le nier. Je te connais trop bien.

Gontran prend une grande inspiration. Sa mère n'a pas tort. Il faut qu'il se calme. Après tout, ce n'était qu'un rêve. D'accord, c'est frustrant qu'il ne sache pas la fin de l'histoire de la Vallée du Gnome chauve, mais il ne doit pas en faire une telle obsession.

—Tu as raison, maman. Je m'emporte un peu.

Le garçon fait une moue désolée à sa mère, lui caresse le bras et ajoute :

—Je vais me préparer.

Quelques minutes plus tard, Gontran embrasse sa mère, toujours assise à table.

—À ce soir, maman.

—Oui, à ce soir, mon poussin.

En passant devant l'entrée du salon, le jeune garçon ne peut s'empêcher de jeter un dernier regard à la boîte. L'émotion le submerge. Une tristesse subite, incontrôlable.

—Adieu Prince Gontran, murmure-t-il. Adieu, brave Magellan. Et bonne chance.

5

SI ON ALLAIT... HEU... LÀ-BAS ?

Au grand étonnement de Gontran, la machine est toujours sur le canapé quand il revient de l'école. Encore plus étonnant, sa mère aussi est sur le canapé. On dirait qu'elle n'est même pas allée travailler. Son bras est appuyé sur le dossier, juste au-dessus de la boîte, comme si elle était en conversation avec la machine. Elle mâche énergiquement une branche de céleri.

— Salut, maman. Tu ne...

— Non, non et non, répond sa mère, avant de réattaquer son légume à grands coups de dents.

Gontran grimace. Non, quoi ? se demande-t-il, mais il n'ose pas poser la question. Sa mère a l'air dans un drôle d'état.

— Non, je n'ai pas posté la boîte. Non, je ne suis pas allée au labo aujourd'hui et non, tu ne pourras pas l'essayer de nouveau, énumère madame Gagnon pour éclaircir la situation.

— Ah bon, fait Gontran en se laissant tomber sur le canapé. Ça répond à mes questions. Et toi, ça va ?

Madame Gagnon regarde son fils par-dessus la boîte et lui sourit.

— Bien sûr…

Puis, son visage se décompose. Elle plonge la tête entre ses mains.

— … que nooooooon ! hulule-t-elle.

Elle renifle un grand coup, sort un mouchoir de sa manche, essuie tout ce qui coule de ses yeux et de son nez. Après le grand ménage, elle relève la tête.

— J'ai beaucoup réfléchi. Tu as peut-être raison.

Gontran ignore de quoi il s'agit, mais il ne bronche pas. Il connaît sa mère. Le reste va suivre, il n'a qu'à attendre.

— Peut-être que cette machine a quelque chose à voir avec l'état de ton père. Alors...

Gontran reste suspendu aux lèvres de sa mère. Il a hâte d'entendre la conclusion.

— Alors, avant de la remettre à la poste, j'ai pensé...

Nouveau petit coup de mouchoir pour prévenir les débordements d'humidité.

— Qu'on pourrait aller...

Elle se tamponne un œil. Puis l'autre. Gontran attend toujours.

— ... là-bas.

— Là-bas ? Quel là-bas ?

— Là-bas... où est ton père... précise madame Gagnon.

— À l'hôpital psychiatrique ?

Les yeux de madame Gagnon font leur ronde habituelle, puis une fois qu'ils sont de retour à leur place, elle continue :

— C'est ça. On pourrait lui montrer la machine et voir comment il réagit. Qu'est-ce que tu en penses ?

— Je crois que c'est une excellente idée, maman. Est-ce qu'on va aussi apporter la lettre d'Isabella ?

Les paupières de madame Gagnon se mettent à cligner. Gontran regrette. Il n'aurait pas dû remuer le fer dans la plaie.

Mais sa mère retrouve rapidement le contrôle de ses muscles faciaux.

— Oui, peut-être, oui. Peut-être que ce serait mieux, oui. Je pense que oui. Oui. Pourquoi pas.

Le trajet jusqu'à l'hôpital est assez long. Et pas vraiment pratique, surtout quand il faut transporter une grosse boîte et changer trois fois d'autobus. La famille Gagnon-Gagné possédait une voiture autrefois. C'était avant qu'on retrouve le père de Gontran dans le terrain vague derrière l'ancien garage abandonné. Parce que c'est comme ça que c'est arrivé. Un matin, il est parti travailler en voiture. Le lendemain, il errait à reculons, à pied, entre les mauvaises herbes et les broussailles, incapable de dire d'où il venait et comment il était arrivé là. Bizarrement, la voiture, elle, n'était jamais réapparue.

Depuis, pas un seul des nombreux psychiatres, psychologues et neurologues qui avaient examiné monsieur Gagné n'était en mesure d'expliquer ce qui s'était passé. Ses symptômes ne correspondaient à rien de connu dans les annales médicales. On le gardait à l'hôpital, non pas parce que sa santé était mauvaise, mais parce qu'on voulait l'avoir à portée de main pour pouvoir l'étudier. Au début, madame Gagnon avait refusé de l'abandonner à la clinique, mais elle s'était résignée quand elle avait réalisé que son mari avait besoin d'une surveillance permanente et qu'elle serait bien obligée de continuer à travailler pour payer les factures. De toute façon, le cas Gagné, comme on l'appelait dans les milieux scientifiques, intriguait tellement qu'il attirait une quantité incroyable de spécialistes du monde entier. Ils défilaient l'un après l'autre dans la chambre de Gontran Gagné père pour tenter d'élucider le mystère de sa folie subite. Mais en vain.

À l'entrée de l'hôpital, Gontran et sa mère sont stoppés par le gardien de sécurité, un homme aux sourcils tellement épais qu'on dirait qu'il a deux moustaches collées dans le front.

— Les visites se terminent dans une demi-heure, déclare-t-il d'un ton faussement désolé, comme s'il était déjà trop tard pour entrer.

Madame Gagnon fait un effort pour sourire. Depuis le temps, elle a appris à ne pas contrarier Super Sourcils. Il s'ennuie tellement dans son entrée qu'il peut vous retenir pendant de longues minutes, juste pour avoir de la compagnie.

—Merci, c'est gentil à vous de nous le rappeler, claironne madame Gagnon d'un ton jovial. On se dépêche alors.

Elle s'empresse de repartir, suivie de près par Gontran. Mais monsieur SS les rattrape.

—Est-ce que je peux savoir ce qu'il y a dans cette boîte ?

—Heu… rien… marmonne madame Gagnon.

Le gardien a le sourire entendu de celui à qui on ne la fait pas.

—C'est ça. Bien sûr ! Vous vous promenez avec une immense boîte vide. C'est normal. Tout le monde fait ça. Moi-même, je passe mes dimanches après-midi à promener ma boîte au parc.

Madame Gagnon serre la mâchoire. « Rester calme. Je dois rester calme », se répète-t-elle. Elle reprend son imitation de sourire aimable.

—C'est que vous ne m'avez pas laissé finir, je voulais dire qu'elle ne contient rien… de spécial.

Mais cette réponse ne satisfait pas Moustaches Frontales.

— Ça veut dire quoi, ça ? Vous savez qu'il y a des tas de matières et d'objets interdits dans cet hôpital ?

Il sort de sa poche un petit cahier dans lequel il a transcrit tout ce que le règlement estime dangereux pour la santé mentale et physique des malades.

— Tenez, juste dans la liste des mots commençant par « a », il y a l'alcool, les animaux, et cela comprend les insectes en pot, les arachides, avec ou sans écales, les armes, évidemment... Est-ce bien la peine de le préciser ? Les asticots. Oui, bon, ça, ça peut aller avec les insectes en pot... Même s'ils ne sont pas toujours dans des pots.

Il sort un crayon de sa poche et trace soigneusement une flèche pour relier les asticots et les insectes en pot.

Gontran et sa mère sont découragés. S'ils le laissent aller jusqu'à Z, le temps de visite va être écoulé avant qu'ils aient eu le temps de se rendre à la chambre.

Madame Gagnon jette un coup d'œil à sa montre. Il ne reste que vingt minutes.

— Je vous jure que la boîte ne contient rien de dangereux, dit Gontran pour rassurer le gardien.

Ce dernier referme son carnet et le glisse rapidement dans la poche arrière de son pantalon. Gontran est soulagé. Son intervention semble avoir porté fruit.

C'est alors que le gardien soulève ses deux immenses sourcils.

— Vous ne verrez pas d'objections à ce que je vérifie le contenu, alors ?

— Bien sûr que non, fait madame Gagnon, à contrecœur.

Elle dépose la boîte aux pieds de monsieur Sourcils.

— Je ne fais pas ça pour vous embêter, vous savez.

— Non, non.

— C'est mon devoir.

— Je comprends.

— Je ne peux quand même laisser entrer n'importe qui avec n'importe quoi. Je pourrais perdre mon emploi, vous ne pensez pas ?

— Oui.

— Vous êtes sûre ?

Madame Gagnon va bientôt perdre patience. Pour accélérer le processus, elle retire elle-même le papier collant d'un coup sec. Elle ouvre les rabats, et extirpe la machine du tas de boulettes de styromousse.

— Qu'est-ce que c'est que ça ? s'écrie le gardien avec étonnement.

Il ressort le carnet de sa poche, en feuillette quelques pages.

— Il est interdit d'apporter des bouilloires, des grille-pain et autres appareils domestiques dans les chambres d'hôpital.

— Mais ce n'est pas un grille-pain ! s'écrie madame Gagnon plus fort qu'elle ne l'aurait voulu.

— Et qu'est-ce que c'est, alors ? demande Poils-de-front.

— C'est... c'est un de mes jouets, improvise Gontran. C'est un BoyJeu SR3000. Je l'ai eu en cadeau à mon anniversaire et je suis tellement content que je veux le montrer à mon papa.

— Vous savez comment sont les enfants, ajoute madame Gagnon, fière de la trouvaille de son fils. Alors, voilà, merci, au revoir.

En moins d'une seconde, elle remet l'appareil dans la boîte et, avant que Super Sourcils ait le temps de réagir, elle fonce dans le corridor en courant.

Gontran adresse un bref sourire au gardien éberlué et se dépêche d'aller rejoindre sa mère.

Quand ils arrivent dans la chambre, hors d'haleine, monsieur Gagné, à son habitude, est debout près de la fenêtre. Il regarde dehors. Alerté par le bruit des pas précipités, il se retourne, inquiet, et comme toujours quand il aperçoit sa femme et son fils, un immense sourire éclaire son visage. Puis ses yeux se brouillent, il recule jusqu'à son lit en marmonnant une phrase absolument incompréhensible. Même si Gontran ne comprend rien à ce qu'il dit, la voix chaude et grave de son père lui fait toujours du bien.

Il s'approche et laisse son papa lui caresser les cheveux à rebrousse-poil comme il le fait toujours depuis qu'il est à l'hôpital.

—Bonjour, mon amour, dit madame Gagnon en embrassant son mari. Ça va ?

Elle passe doucement la main sur son visage. Comme chaque fois quand elle le regarde dans les yeux, madame Gagnon a, un bref instant, l'impression que son époux a retrouvé ses esprits et qu'il va lui dire quelque chose de sensé. Mais comme toujours, son regard tendre s'évanouit et l'espoir de madame Gagnon aussi. Gontran père émet une suite de syllabes comprises de lui seul et son regard devient étrange.

Dans le corridor, un bruit de clés qui s'entrechoquent alerte Gontran. Il passe la tête par la porte pour jeter un coup d'œil dans le couloir. C'est bien ce qu'il craignait. Le gardien de sécurité arrive au galop, déterminé à déclarer la guerre.

—Maman, le gardien s'en vient !

Madame Gagnon ne perd pas une seconde. Elle ouvre la boîte qu'elle avait posée sur le lit. Elle en sort la machine à rêver et la montre à son mari.

—Regarde, chéri, le joli cadeau que tante Isabella a offert à Gontran...

Monsieur Gagné sursaute et pousse un cri. Il tend les mains vers l'appareil, puis se met à reculer.

C'est à cet instant que le gardien franchit la porte de la chambre.

—Donnez-moi cet engin immédiatement ! hurle-t-il. Les grille-pain sont interdits dans l'hôpital !

Mais madame Gagnon ne s'en occupe pas. Elle saisit son fils par le bras.

—Il a réagi, murmure-t-elle. Il a réagi, as-tu vu ? Je suis sûre qu'il l'a reconnue, la machine. À moins que ce ne soit le nom d'Isabella qui l'ait fait réagir ?

Ses yeux clignent un peu en disant cela. Gontran la rassure.

—Non, maman, c'est en voyant la machine qu'il a crié.

Madame Gagnon serre l'appareil contre son cœur.

— On a peut-être une piste.

Le gardien met un terme brutal à ce touchant moment d'espoir en se précipitant sur madame Gagnon pour lui arracher la machine à rêver.

— Donnez-moi ça ! gueule-t-il. Vous n'avez pas le droit d'entrer dans la chambre avec ça !

La mère de Gontran se défend comme elle peut contre Sourcils Endiablés.

— Lâchez-moi, espèce de f… f… de furieux !

La tête de l'infirmière en chef apparaît dans l'encadrement de la porte.

— Voyons ! Qu'est-ce qui se passe, ici ?

— Ces gens ont contrevenu au règlement en apportant ce grille-pain dans une chambre d'hôpital ! hurle le gardien.

Il brandit fièrement l'appareil qu'il vient d'arracher à sa victime.

— Ce n'est pas un gri… commence l'infirmière quand elle s'arrête pour se tourner vers monsieur Gagné.

Il vient de pousser le même cri que tout à l'heure à la vue de l'appareil.

Du regard, l'infirmière consulte madame Gagnon et Gontran.

— Il a réagi, non ?

Le garçon et sa mère, le sourire aux lèvres, opinent en silence.

— Il faut immédiatement appeler le docteur Lebel, déclare l'infirmière.

Puis elle se tourne vers le gardien.

— Lazare, donnez-moi ça et retournez à votre entrée.

Piteux, Moustaches Frontales rend l'appareil et s'éloigne d'un pas traînant.

— C'est même pas vrai que c'est un Boyjeu SR 3000, grommelle-t-il.

— Madame Gagnon ! s'écrie le docteur Lebel en entrant dans la chambre. Il y a longtemps qu'on ne s'est vus, eh, eh.

Le petit vieillard se frotte les mains. Il a l'air tout content, comme s'il préparait un mauvais coup.

— On a quelque chose à vous montrer, déclare Hélène, l'infirmière en chef. Peut-être une piste d'exploration.

— Ah bon ? fait le psychiatre. C'est merveilleux, n'est-ce pas, mon petit ? dit-il en pinçant la joue de Gontran. Comme on dit dans mon métier, moins il y a de fous, plus on rit !

Il éclate de son gros rire de père Noël, puis il s'arrête d'un coup et demande d'un air très sérieux :

— De quoi est-il question, Hélène ?

— Regardez bien ça, docteur.

L'infirmière va prendre la machine à rêver sur la table de chevet et l'approche de monsieur Gagné, qui est de retour à son poste habituel, près de la fenêtre.

Comme les fois précédentes, l'homme sursaute en voyant l'appareil, pousse un cri, tend les mains pour l'attraper, puis se met à reculer jusqu'au lit, tout en émettant des phrases incompréhensibles.

Le docteur Lebel en est bouche bée.

— C'est la plus grosse réaction qu'on ait eue depuis qu'il est ici. Non seulement, le patient Gagné reconnaît cet objet, mais on dirait presque qu'il a une importance capitale pour lui.

Le médecin se tourne vers madame Gagnon.

— Au fait, qu'est-ce que c'est ?

— Euh... une... une machine à rêver.

— Une quoi ? s'écrient en chœur le docteur et l'infirmière.

— Une machine à rêver, répète madame Gagnon.

Le vieillard éclate de son gros rire de père Noël. On dirait qu'il ne s'arrêtera jamais. Mais il cesse aussi brutalement qu'il avait commencé.

— Non, mais sans blague ? Qu'est-ce que c'est ?

Gontran et sa mère expliquent en long, en large et en travers au docteur Lebel comment ils ont eu la machine, ce qu'ils en savent et comment ils s'en sont servis. Le garçon doit relater par le menu détail son expérience de la veille, en décrivant du mieux qu'il peut le prince et son fidèle Magellan.

Le médecin et l'infirmière les écoutent poliment, mais Gontran a l'impression que les deux adultes échangent régulièrement un regard entendu. Comme s'ils commençaient à croire que monsieur Gagné n'était pas seul à être fou dans la famille.

—Nous permettez-vous de la garder pour l'étudier ? demande le docteur Lebel, une fois que toutes les questions ont été posées.

—Eh bien, euh... bafouille madame Gagnon. Oui, pourquoi pas.

—Mais vous allez y faire attention, hein ? s'inquiète Gontran, Je veux dire, vous n'allez pas la démonter complètement et risquer de la briser ?

Entre deux oh ! oh ! oh ! tonitruants, le médecin rassure le garçon.

—Nous n'allons pas l'opérer, si c'est ce qui t'inquiète, mon petit. Nous allons simplement la garder sous observation et procéder à certains tests. Je ne vous cacherai pas que, d'un point de vue scientifique, c'est un peu intrigant, voire surprenant.

Et, si je ne me retenais pas, je dirais même incroyable. N'est-ce pas, Hélène ?

— C'est le moins que l'on puisse dire… répond celle-ci.

— Vous ne nous croyez pas ? lâche Gontran, vexé.

— Ce n'est pas ce que le docteur a dit… réplique prudemment l'infirmière.

— Mais c'est peut-être ce qu'il pense, ajoute le petit vieillard, en éclatant de son gros rire de père Noël.

Le trajet de retour en autobus se fait en silence. Gontran et sa mère sont tellement occupés à repasser les différentes scènes de la soirée dans leur tête qu'ils en oublient de parler.

Alors que l'autobus traverse la zone industrielle de la ville, madame Gagnon revoit les yeux de son mari quand il a aperçu la machine à rêver. C'est clair qu'il l'a reconnue. C'est évident aussi qu'il a voulu dire quelque chose à son sujet, mais n'est pas parvenu à l'exprimer. D'ailleurs, chaque fois qu'on lui a remis l'appareil devant les yeux, il a eu la même réaction. Il a cherché à l'attraper comme si c'était une bouée de sauvetage. Comme s'il venait de mettre la main sur la clé qu'il cherchait depuis si longtemps. Madame Gagnon connaît bien cet éclair dans le regard de son mari. C'était exactement celui qu'il avait quand il faisait une découverte, à l'époque où ils travaillaient ensemble au laboratoire de physique. Avant que la compagnie qui les embauchait démantèle le labo pour le déménager au Groenland, où le magnétisme polaire permet des expériences plus poussées. Ça avait été un deuil, à l'époque, de laisser tomber leurs passionnantes recherches sur les failles de l'espace-temps. Mais pour les deux physiciens, l'avenir de leur fils et leur vie de famille passaient avant les progrès de la science. Quand Gontran junior serait plus grand, il serait toujours temps de retourner à leurs recherches, s'étaient-ils dit.

Quand l'autobus s'arrête au feu rouge devant le stade de soccer, une chose est sûre pour madame Gagnon, son mari reconnaît la machine à rêver. Ce qu'elle ne parvient pas à comprendre, c'est la raison pour laquelle cette lueur d'espoir disparaît aussi rapidement de ses yeux.

Au moment où l'autobus tourne le coin, juste après l'aréna, Gontran, lui, est en train de repenser à la tête de Lazare, le gardien aux sourcils de brousse, quand ils sont sortis de l'hôpital.

—Ah ! ils vous ont confisqué votre grille-pain, à ce que je vois... a-t-il ricané. Eh ! Eh ! Pourtant, je vous avais prévenus que c'était interdit à l'hôpital.

Ni Gontran ni sa mère n'avaient pris la peine de répondre. Ils s'étaient contentés de lui souhaiter une bonne fin de soirée.

Sans savoir exactement pourquoi, Gontran n'aimait pas trop l'idée d'avoir laissé la machine à rêver entre les mains des psychiatres. Comme si elle avait contenu les personnages de son rêve et qu'il les avait abandonnés à l'hôpital en même temps que l'appareil.

Magellan n'avait plus aucune chance de le rejoindre s'il avait besoin d'aide. Gontran tente de chasser l'image de Humbaba approchant le sceptre des flammes, mais la sensation d'angoisse persiste quelque part, au fond de lui. Dire que le docteur Lebel doute de l'efficacité de la machine... « Encore une chance que je n'avais pas choisi de mettre 100% de sensation de réalité, pense le garçon. J'aurais fini par croire que ce n'était même pas un rêve. »

—Terminus, annonce le chauffeur.

Gontran et sa mère sursautent.

— Oups ! On est rendus au Jardin botanique, dit madame Gagnon avec un sourire coupable. Excuse-moi, mon poussin, je n'ai pas vu le temps passer. J'étais...

— Pareil pour moi, avoue Gontran, en se dirigeant vers la sortie. Ce n'est pas grave, on marchera. Ça va nous faire du bien.

— Et en plus, c'est excellent pour la ligne, continue sa mère.

Sur le trottoir, pendant que l'autobus s'éloigne sur le boulevard, madame Gagnon serre son fils dans ses bras.

— Tout va bien aller, souffle-t-elle, la gorge nouée. Tu vas voir, mon poussin, tout va bien aller. Papa va s'en sortir.

Puis, bras dessus, bras dessous, ils entament les trois kilomètres de marche qui les ramèneront à la maison.

6

LA MÉDECINE EST SCEPTIQUE

Assise dans le bureau du docteur Lebel, le lendemain soir, madame Gagnon s'étonne :

— Comment, cette machine ne fonctionne pas ? Mon fils Gontran l'a essayée et il a été entièrement satisfait de ses performances, n'est-ce pas, mon poussin ?

Gontran acquiesce d'un signe de tête. Il espère que les psychiatres n'ont pas déréglé l'appareil avec leurs tests.

— Eh bien, il a dû rêver, réplique le petit vieillard.

Et il éclate de son gros rire bruyant. Il trouve sa blague tellement bonne qu'il se tape sur les cuisses.

Gontran et sa mère restent de glace. L'infirmière en chef, gênée, sourit stupidement en examinant le bout de ses chaussures.

Après de longues minutes, le psychiatre se met à tousser et reprend son sérieux.

—Nous avons fait examiner l'appareil par nos services techniques et il apparaît évident qu'aucune de ses composantes n'est en mesure d'interférer avec les ondes du cerveau.

—Comment expliquez-vous le fait que mon fils ait rêvé exactement la scène qu'il avait programmée alors ?

—Autosuggestion, répond laconiquement le médecin.

L'infirmière, qui a cessé de se mirer dans le cuir de ses souliers vernis, croit bon d'expliquer :

—C'est parce qu'il y pensait très fort avant de s'endormir et qu'il le voulait vraiment qu'il en a rêvé. C'est possible de réussir à faire ça sans la machine. Essayez vous-même. Couchez-vous en vous concentrant très fort sur une image et il y a de fortes chances que vous en rêviez.

Madame Gagnon ne semble pas convaincue. Gontran non plus. Le rêve qu'il a fait n'avait rien d'un rêve normal.

— Ça peut arriver, mais ça ne fonctionne pas à tous les coups, comme avec la machine ! s'écrie sa mère.

— Comment vous savez qu'elle marche à tous les coups ? Vous ne l'avez essayée qu'une seule fois, non ? réplique le médecin.

Madame Gagnon jette un regard à son fils. Le psychiatre a raison. Ce n'était peut-être qu'un hasard. Gontran, lui, sourit. Telle qu'il connaît sa mère, elle va vouloir refaire l'expérience, juste pour vérifier que la machine fonctionne réellement. Et qui va pouvoir aller visiter de nouveau la Vallée du Gnome chauve ? Eh ! Eh ! C'est lui !

Gontran est brusquement ramené dans le bureau du docteur Lebel par une nouvelle question de sa mère.

— Et de votre côté, vous ne l'avez pas testée sur des personnes ?

— Nos patients sont suffisamment cinglés. Inutile de leur faire subir des expériences dont on ne connaît pas les conséquences, déclare le docteur Lebel, avant de lancer un nouveau concert de oh ! oh ! oh !

Revenu de son hilarité, il ajoute :

— Et les membres de notre personnel ont autre chose à faire que de dormir avec des électrodes sur le crâne pour rêver à leurs prochaines vacances au soleil. On a proposé à Lazare de l'essayer, mais il a refusé en disant qu'il n'avait jamais dormi avec un grille-pain sur la tête et qu'il n'avait pas l'intention de commencer aujourd'hui. De toute façon, l'expertise de nos spécialistes techniques nous suffit. Et ils sont formels. Toutes ces histoires d'ondes ne sont qu'une invention des physiciens de laboratoire qui ne connaissent rien à la biologie du cerveau.

Les yeux de madame Gagnon sont presque sortis de sa boîte crânienne. Un peu plus et ils sauteraient au visage du mini-docteur. Insulter ainsi la profession de physicien ! Devant elle !

L'infirmière va chercher la boîte, posée près du radiateur et la dépose sur le bureau.

— Vous pouvez donc rapporter la machine, dit-elle.

Gontran grimace. Sa mère lui serre le bras de toutes ses forces dans son effort pour rester calme.

— Et la réaction de mon mari ? demande madame Gagnon, rouge comme le petit chaperon du même nom. Comment l'expliquez-vous ?

Le vieillard saute en bas de son fauteuil et vient se poster à côté de madame Gagnon.

— Eh bien, pour le moment, nous ne l'expliquons pas. J'avoue que ça demeure un mystère. Mais nous continuons à y penser et aussitôt que nous avons une piste, nous vous téléphonons. Maintenant, si vous voulez bien m'excuser, il y a un monde fou qui m'attend.

Sur ce, il sort de son bureau, emplissant l'air de ses éclats de rire sonores.

Il faut au moins douze arrêts d'autobus pour que madame Gagnon se remette à respirer régulièrement et cesse de marmonner des insultes contre le docteur Lebel et l'infirmière en chef.

Ce n'est qu'après le deuxième changement d'autobus que son teint reprend sa couleur normale.

C'est le moment qu'attendait Gontran pour poser la question qui le titille depuis leur sortie de l'hôpital :

— Dis, maman, est-ce que je vais pouvoir réessayer la machine à rêver ?

Mais madame Gagnon ne répond pas. Elle sourit en regardant fixement devant elle.

—Maman ?

Toujours aucune réaction. Curieux, Gontran se retourne pour voir ce qui peut bien accaparer ainsi le regard de sa mère. Il aperçoit un panneau publicitaire géant vantant les mérites d'une nouvelle marque de chocolat. D'immenses lettres vert fluo précisent qu'elle contient 40% de moins de calories qu'une tablette de chocolat ordinaire. Les yeux de madame Gagnon brillent d'envie.

—Maman ? répète le garçon, quand le panneau sort de leur champ de vision.

—Hein ? fait sa mère, brusquement tirée da sa rêverie.

—Est-ce que je vais... commence Gontran.

—Peut-être pas ce soir, mon poussin.

Le poussin lâche un cri du cœur :

—Mais il faut absolument refaire l'expérience pour valider l'hypothèse !

Madame Gagnon regarde son fils avec étonnement. C'est la première fois qu'il adopte un tel langage scientifique. Elle ne sait pas si elle doit s'en réjouir ou craindre le pire. Elle remet le questionnement à plus tard et se contente de répondre :

— Je suis d'accord avec ton raisonnement. Nous allons devoir procéder à une nouvelle expérience.

Gontran est sur le point de pousser un soupir de soulagement quand sa mère poursuit :

— C'est pour cette raison que, ce soir, c'est moi qui vais l'essayer.

Puis elle sourit, tout en se pourléchant les babines.

Ce qui n'est pas vraiment facile à faire, avouons-le.

7

C'EST LE TOUR DE MADAME GAGNON

Madame Gagnon, vêtue de sa chemise de nuit à chatons, enfile le casque de la machine à rêver.

Debout à côté du lit de sa mère, Gontran lui tend la télécommande et le stylet.

— À quoi tu veux rêver ? lui demande-t-il.

— Ce n'est pas de tes oignons, mon mignon.

Elle attrape les instruments et se trémousse en souriant, comme si elle se délectait à l'avance du rêve qu'elle s'apprêtait à faire.

—Comment s'appelait cette nouvelle marque de chocolat dont on a vu la publicité tout à l'heure ?

—Mais maman, ce n'est pas la peine de rêver à des friandises sans calories, alors que tu peux t'empiffrer de gras et de sucre toute la nuit !

Madame Gagnon glousse.

—C'est vrai, qu'est-ce que je suis bête !

Elle réfléchit un instant.

—Mais tu es sûr que ça ne me fera pas grossir ?

—C'est juste un rêve, maman.

Après un moment d'hésitation, elle prend son stylet et coche quelque chose sur le menu.

—Je ferais peut-être mieux de ne pas mettre le degré de réalisme à 100 %. Juste au cas.

—C'est vrai que 80 %, c'était largement assez pour y croire, dit Gontran, songeur.

Pendant que le garçon revit en pensée les émotions suscitées par son rêve, madame Gagnon détermine ses choix.

—Bon, eh bien, je crois que je suis prête, mon poussin. On peut y aller.

Elle s'étend sur son lit et ferme les yeux. Puis, elle se redresse soudain.

—Tu me surveilles un peu quand même, hein ? Si tu vois que je deviens somnambule, tu appuies sur le bouton d'arrêt.

—Oui, oui, je sais, le rouge, en haut, à droite.

—C'est ça, dit madame Gagnon, en reprenant sa position couchée.

—Tu peux me faire confiance et dormir en paix, maman.

—Je sais, mon chou. Tu es un fils merveilleux.

Gontran recule jusque dans le corridor, la télécommande à la main.

—Prête ?

—Prête ! murmure madame Gagnon, le sourire aux lèvres.

La seconde d'après, Sonia Gagnon est au bord d'un lac. Le soleil brille et fait miroiter l'eau, la forçant à fermer à demi les yeux pour ne pas être éblouie. Son maillot de bain bleu nuit moule son corps svelte à la perfection et le vent chaud lui caresse la peau.

Elle attrape un verre posé à côté de sa chaise longue.

—À ta santé, mon amour !

Elle tourne la tête vers la droite. Son mari est là, allongé, lui aussi, sur une chaise longue. Il lui sourit.

Quelques secondes de bonheur intense la traversent. Son Gontran est si beau dans la lumière de l'été. Elle se lève pour l'embrasser. Ses lèvres sont douces. Il sent bon.

— Eh, maman, tu veux du chocolat ? crie une voix derrière eux.

Gontran fils dévale l'escalier qui mène au chalet, avec tout un assortiment de friandises à la main.

— Je viens de finir de laver la vaisselle et j'ai pensé que tu aimerais peut-être avoir un petit dessert.

— Oh ! C'est gentil, mon poussin.

Sonia Gagnon attrape une grosse tablette aux noisettes, sa saveur préférée. Elle la déballe lentement, savourant à l'avance le délicieux goût de noisette qui se mêle à celui du chocolat au lait.

Au moment où elle va poser le premier morceau sur sa langue, un autobus apparaît sur le lac. Il klaxonne. Le docteur Lebel en sort, un canard de plastique autour de la ceinture. L'infirmière en chef, déguisée en fée des étoiles, fait des mouvements de nage synchronisée sur le quai.

— Maman ! crie son fils ! Maman, réveille-toi !

Madame Gagnon ouvre les yeux. Elle est dans sa chambre. Gontran est à côté d'elle. Il tient une télécommande à la main et il a l'air inquiet.

— Ça va, maman ?

La mère du garçon ouvre et ferme la bouche sans qu'un son ne s'en échappe. Elle voudrait parler, mais elle ne sait pas par où commencer. Il y a trop d'images qui se bousculent dans sa tête. Une d'entre elles se précise, se précise jusqu'à devenir presque réelle.

— Juste au moment où j'allais mettre le morceau de chocolat dans ma bouche ! s'écrie-t-elle. Mais pourquoi tu m'as réveillée ? J'ai manqué le meilleur !

Gontran est stupéfait, mais presque soulagé de se faire engueuler. C'est signe que sa mère va bien.

— Tu n'arrêtais pas de bouger. Comme si tu mimais tout ce que tu rêvais. Et comme tu m'avais dit de te réveiller si tu étais somnambule. Enfin, tu comprends, je ne savais pas… Je craignais que tu tombes en bas du lit si…

Il s'arrête brusquement.

— Alors, franchement, comment c'était ? reprend-il sur un autre ton.

— Merveilleux, soupire madame Gagnon. Fantastique ! Fabuleux !

Elle retire le casque et l'observe avec curiosité.

— Je ne sais pas comment elle fonctionne, mais la preuve en est faite, cette machine est d'une efficacité redoutable. Les pseudo-experts de l'hôpital psychiatrique peuvent bien aller se rhabiller.

— Il me semble qu'il faudrait procéder à d'autres tests, dit Gontran. Juste pour être vraiment sûr que ce n'est pas un cas d'autosuggestion, comme le suppose le docteur Lebel.

Madame Gagnon regarde son fils, les sourcils froncés. Les différentes moues qui se profilent sur le visage de la physicienne permettent de supposer qu'elle étudie la question sous tous ses angles.

— Tu as raison, finit-elle par dire, en empoignant le casque et en se le remettant sur la tête. Voyons voir si le rêve va continuer là où il s'est arrêté.

— Ce n'est pas ce que je voulais dire, grommelle Gontran.

— Ah non ? fait madame Gagnon, en jouant l'étonnée.

— Non… Je veux dire, il me semble que c'est à mon tour maintenant, non ?

Madame Gagnon hésite. Sa gourmandise et son dévouement maternel se livrent une bataille sans merci sous son crâne. On entend presque le bruit de leurs épées.

— Peut-être que ce n'est pas très bon de le faire deux fois d'affilée... suggère Gontran.

— Il est tard pour toi... rétorque madame Gagnon.

— Oui mais, de toute façon, je dois rester réveillé pour te surveiller.

— C'est vrai.

— En plus, je n'ai pas d'école demain !

Madame Gagnon pousse un long soupir.

— C'est bien parce que c'est toi, mon poussin.

C'est à regret qu'elle tend le casque à son fils.

— Allez, au lit.

Le garçon écrase son visage contre les chatons de la robe de nuit de sa mère.

— Merci, maman !

Puis il court à sa chambre.

— Regarde, maman, il y a une option « suite » dans le menu. Ce doit être pour continuer le rêve où on en était.

Les yeux de madame Gagnon brillent.

— Tu crois ?

On voit les morceaux de chocolat passer dans ses yeux comme les fruits dans les machines à sous du casino.

— J'essaie ! déclare le garçon, en cochant la case dans le menu. Tu peux y aller, maman, je suis prêt.

Madame Gagnon borde tendrement son fils, puis l'embrasse sur le front.

— Fais de beaux rêves, mon poussin. Et surtout, sois prudent.

Elle recule dans le corridor, et d'un coup de télécommande, catapulte Gontran dans la nuit noire de la Vallée du Gnome chauve.

8

LE RETOUR DU PRINCE GONTRAN

La secousse est terrible. Le prince Gontran est précipité contre le sol. Il roule dans l'herbe sèche du cimetière jusqu'à ce que son corps bute sur une pierre tombale. C'est là, encore étourdi par sa chute, qu'il réalise qu'ils sont arrivés juste à temps.

Magellan a littéralement fondu sur Humbaba pour l'empêcher de plonger le sceptre dans les braises de son bûcher démoniaque. Mais la pointe d'acier a eu le temps d'être léchée par les flammes assez longtemps pour que quelques âmes soient tirées des profondeurs de l'au-delà. C'est ce qui explique les vapeurs dansantes qui s'élèvent des tombes et les lamentations sourdes qui s'en échappent. Revenir du pays des morts est une épreuve douloureuse pour les âmes des elfes. Cette souffrance atroce peut aisément être transformée en haine par les êtres maléfiques. Car celui qui souffre est prêt à tout, même à faire le mal, s'il croit que c'est là une façon d'être soulagé.

Le prince Gontran aperçoit le sceptre, qui gît dans l'herbe, à bonne distance des deux hommes. Il doit aller récupérer l'arme de ses ancêtres que le sorcier a laissé choir lorsque Magellan lui est tombé dessus.

Le sorcier s'est remis de sa surprise. Il est maintenant debout, bravant Magellan qui pourtant le dépasse d'une bonne tête. Les deux adversaires se font face, jaugeant leurs forces, estimant leurs faiblesses.

— Tu n'as aucune chance contre moi, pauvre minet, ricane Humbaba.

L'homme-tigre ne daigne même pas répondre à l'insulte. Il se concentre pour rassembler son énergie. L'énergie de son peuple guerrier qu'il peut capter à distance quand son espèce est menacée. Et c'est le cas. Il le sent jusqu'au fond de son être. Humbaba est plus qu'un sorcier ordinaire, c'est l'outil d'un destin funeste, d'une volonté plus forte que tout ce que la Vallée du Gnome chauve a connu jusqu'ici.

Nourri de la force de son peuple, l'homme-tigre bondit sur le sorcier. Tandis que les deux créatures luttent dans un puissant corps à corps, le prince Gontran se précipite sur le sceptre. Quand il arrive près de l'arme, le prince s'aperçoit que Magellan a réussi à terrasser le sorcier. Une étincelle d'espoir éclaire le cœur du prince et fouette son courage.

Mais quand ses doigts touchent enfin le métal ouvragé, une décharge électrique secoue le prince. Une décharge d'une force telle qu'il est projeté au sol, tandis que le sceptre, mû par une puissance maléfique, plonge vers le brasier ardent qui semble crépiter avec plus de force.

Les lamentations reprennent lentement autour du prince qui essaie tant bien que mal de se remettre sur pied.

Toujours coincé sous le corps puissant de Magellan, Humbaba ricane. Son rire se répercute sur les dalles du cimetière avec un écho lugubre.

— Prince Gontran, hurle l'homme-tigre, pour couvrir le bruit des lamentations qui ne cessent de croître entre les tombes. Prince Gontran, la pierre... La pierre ! La pierre ! Prince Gontran ! C'est notre seule chance !

Le rire de Humbaba enfle démesurément. Le prince des elfes a l'impression de s'être engouffré dans la gorge du sorcier tant le bruit est fort. D'ailleurs, tout est rouge autour de lui. Un rouge profond. Total. Mais est-ce bien la gorge de Humbaba ? Non, c'est une tuque. Une tuque de père Noël. Celle du docteur Lebel qui mange du chocolat sur la banquette arrière d'un autobus. C'est madame Gagnon qui est au volant.

— Gontran ? Ça va, Gontran ? demande-t-elle, avant de prendre un virage à 180 degrés.

L'autobus fait une embardée. Le prince est secoué. Et secoué de nouveau.

— Gontran ?

— Quelle pierre ? demande le garçon en ouvrant les yeux.

Il est de retour dans sa chambre. Sa mère est debout à côté de son lit.

— Comment, quelle pierre ? demande madame Gagnon. Je ne sais pas, moi, quelle pierre ! De quelle pierre tu parles ?

— De celle dont Magellan avait besoin pour…

Le garçon s'arrête. Pour quoi, donc ? Il ne le sait pas vraiment. Tout ce dont il se rappelle, c'est que c'était primordial. Et urgent.

— C'était notre seule chance de sauver le monde des elfes et des hommes-tigres, maman !

— Oh là là, fait madame Gagnon, tu ne pourrais pas rêver des choses plus tranquilles ! Que tu prends un bon bain chaud ou bien que tu manges de la crème glacée…

— Pourquoi tu m'as réveillé ? coupe le garçon.

— Jette un œil à tes couvertures, il me semble que ça se passe d'explications.

Gontran obéit. C'est vrai que la dévastation est totale. On dirait qu'une tornade de force 14 est passée par là. Il n'y a plus une seule couverture en place sur le lit. Même le drap du dessous est arraché et roulé en boule sous l'oreiller.

— Je veux bien que tu t'amuses avec tes petits amis gnomes, mais ce n'est pas une raison pour te laisser déchiqueter le matelas. Bon, lève-toi qu'on refasse le lit.

—Juste au moment où j'allais comprendre ce que Magellan...

—Tu sauveras le monde des chauves demain.

—Les elfes de la Vallée du Gnome chauve, maman.

—C'est pareil. Allez, debout !

Le garçon s'extirpe avec difficulté du tas de couvertures dans lequel il est entortillé. Tout en démêlant la literie, madame Gagnon demande :

—Donc, si j'ai bien compris, ça a marché. Tu as repris le rêve exactement où tu en étais la dernière fois ?

—À la seconde près, répond Gontran en remettant la taie sur son oreiller.

—Super ! lâche sa mère, les yeux brillants. J'ai déjà hâte à demain.

9

PÉRIPLE À L'AGENCE DE VOYAGES

Le lendemain, quand il se réveille, Gontran entend sa mère s'activer dans la cuisine.

— Bon, c'est pas tout de s'amuser avec cet appareil, déclare-t-elle quand elle voit son fils paraître dans l'encadrement de la porte, il faut aussi trouver le lien qu'il a avec l'état de ton père. Car, plus j'y pense, plus je suis convaincue qu'il y a un lien.

Depuis que la machine à rêver est entrée dans la maison, Gontran a l'impression que sa mère n'a pas dormi une seule minute. On dirait qu'elle passe ses nuits à réfléchir.

— Sans parler de cette Isab... cette amoureu... cette personne qui l'a inventée, continue madame Gagnon en renversant un peu de café sur sa robe de nuit.

Gontran, lui, a bien dormi. Malgré ses efforts pour tenter de poursuivre son aventure de la Vallée du Gnome chauve, il n'a fait aucun autre rêve de toute la nuit. Du moins, il ne se souvient de rien. Mais la question de la pierre continue à le tracasser. De quelle pierre voulait donc parler Magellan ?

— Ça me chicote trop, il faut que j'en aie le cœur net, déclare madame Gagnon, comme en écho aux pensées de son fils. Il faut qu'on aille la voir.

Gontran lève la tête de son bol de céréales. A-t-il bien entendu ?

— Oui, tu as bien entendu, déclare sa mère, devinant sa question. J'ai décidé d'aller la voir...

— Qui ?

— Eh bien, cette Isa... Isa...

Madame Gagnon prend une grande inspiration et lance en vidant ses poumons :

— Isabella !

Gontran laisse tomber sa cuillère dans son bol. Un petit geyser de lait accompagne son cri :

— Mais elle est morte, maman !

— Je sais, je sais. Je ne suis pas f... f... f...

Madame Gagnon fait un gros effort pour contrôler ses globes oculaires.

— Je veux dire, ce n'est pas elle, « elle », que je veux aller voir, mais la personne qui a envoyé la boîte. J'ai essayé de retracer le numéro de téléphone à partir de l'adresse, mais les services téléphoniques n'ont aucun abonné à l'île d'Ailleurs. Sur place, on va bien trouver quelqu'un, quelque part, qui sait quelque chose.

Gontran lève les yeux vers sa mère. Il n'a pas le temps d'ouvrir la bouche que sa mère lance :

— Mais bien sûr que tu viens avec moi ! Quelle question !

Le garçon hausse les sourcils. Sa mère continue :

— Et on apportera la machine à rêver aussi.

C'est le sourire aux lèvres que Gontran plonge la main dans le lait pour récupérer sa cuillère. L'avenir promet d'être des plus passionnants.

❁

— L'île d'Ailleurs ? répète l'agent de voyages, en souriant poliment. Et c'est où, ça ?

— Euh... Eh bien, je... En fait, j'espérais que vous me le diriez, bafouille madame Gagnon.

L'homme la regarde quelques secondes sans bouger. Il a l'air de chercher le sens caché des paroles de sa cliente.

— Vous voulez aller quelque part, mais vous ne savez pas où c'est, reprend l'agent de voyages, c'est bien ça ?

— C'est bien ça, répond madame Gagnon, le plus naturellement du monde.

L'agent de voyages se gratte le front avec un stylo. Est-ce que cette femme se moque de lui ?

— Vous avez vu le nom de cette île sur un dépliant ? À la télé ? Quelqu'un vous en a parlé ? demande-t-il.

— En fait, pour tout vous dire, c'est l'adresse de retour sur un paquet que j'ai reçu.

L'agent jette un coup d'œil à Gontran pour s'assurer qu'il a bien compris. Le garçon confirme d'un hochement de tête.

— Vous voulez aller en vacances à une adresse de retour sur un paquet ?

— En vérité, ce n'est pas tout à fait des vacances... commence madame Gagnon, C'est parce que…

Gontran fait signe à sa mère de se taire. Ce n'est pas la peine d'aggraver les choses. Le visage de l'agent de voyages s'éclaire quand il voit ses deux clients échanger de petits signes discrets.

— C'est une blague ? C'est ça ? fait l'homme, soulagé. Il y a une caméra cachée quelque part ? C'est ça ? Ah ! Ah ! Vous voyez ! Je suis plus malin que vous ! Je ne me suis pas fait prendre.

Il se lève et cherche l'emplacement de la caméra.

— Où est-elle ? Allez, vous pouvez me le dire, maintenant que j'ai découvert le pot aux roses ! Des vacances à une adresse de retour ! J'avoue que c'était bien trouvé… Ah ! Ah ! Ah !

L'agent de voyages continue de chercher la caméra aux quatre coins du bureau, poursuivi par madame Gagnon.

— Ce n'est pas une blague du tout, dit-elle, en zigzaguant entre les tables et les étagères de prospectus. Nous voulons aller à l'île d'Ailleurs pour de vrai.

L'homme s'arrête devant la vitrine. Il scrute l'extérieur. Toujours pas d'équipe de caméramen en vue. Il se retourne. Madame Gagnon est devant lui, essoufflée, le visage rouge comme une tomate.

— Vous n'en avez jamais entendu parler ? demande-t-elle.

— Jamais, réplique l'homme.

Il a perdu son sourire. Il a presque l'air furieux. Il se dirige vers la porte qu'il ouvre toute grande.

— Si c'est une adresse postale que vous voulez visiter, ce n'est pas la peine de déranger un agent de voyages. Adressez-vous plutôt à un facteur.

— Ah ! Ce n'est pas bête, répond madame Gagnon. C'est fou, je n'y avais pas pensé. Merci, monsieur.

Et elle sort la tête haute, sans se retourner.

Gontran va récupérer le sac à main de sa mère, abandonné à côté du bureau de l'agent, et il sort à son tour dans la rue où une petite pluie commence à tomber.

10

LES TIMBRÉS AU BUREAU DE POSTE

— Mais on ne va quand même pas se poster ! s'exclame Gontran.

Madame Gagnon sourit.

— Mais non, mon poussin. Seulement, grâce au code postal, le postier va sûrement pouvoir nous indiquer dans quelle région du monde se trouve l'île d'Ailleurs. D'ailleurs, j'aurais dû y penser avant. Si tu me permets le jeu de mots, ajoute-t-elle en gloussant.

Le bureau de poste n'est qu'à trois coins de rue. Mais il se met tout à coup à pleuvoir à verse. Cela n'entame en rien la détermination de madame Gagnon. C'est donc tout dégoulinants que Gontran et sa mère se présentent devant l'employée des postes. La dame, une naine rousse, dépasse à peine le comptoir.

— Alors, qu'est-ce que je peux faire pour vous aider ? demande-t-elle. Timbre, mandat-poste, envoi recommandé ? Mmm ?

— Nous voudrions une information, fait madame Gagnon en s'épongeant le front avec un mouchoir.

— Sur les tarifs ? Les délais ? Les heures de levée ? Mmm ?

— Pouvez-vous nous indiquer à quelle ville correspond ce code postal ?

Madame Gagnon glisse un papier humide sur le comptoir.

La naine rousse prend une loupe et examine le bout de papier.

— Z7 ?

Elle fait une moue, ferme les yeux et se met à claquer des dents.

Gontran et sa mère échangent un regard. Est-ce que la dame va bien ou se prépare-t-elle à faire une crise de nerfs ?

— Ce code postal n'existe pas, finit pas déclarer l'employée des postes.

— Est-ce que vous pourriez vérifier, s'il vous plaît ?

— Mais je viens de vérifier ! s'écrie la dame. Je connais tous les codes du monde par cœur.

Gontran pointe l'ordinateur.

— Et il n'y a pas moyen de…

— Cet appareil n'en sait pas plus que moi. Ça ne fait que deux ans qu'il est ici, alors que moi, j'ai passé plus de cinquante ans dans ce bureau de poste.

— Et l'île d'Ailleurs, ça ne vous dit rien ? demande madame Gagnon à tout hasard.

— D'Ailleurs ?

— Oui, d'Ailleurs.

— Pas Deyer ?

— Non, d'Ailleurs.

— Je connais Deyer, mais pas d'Ailleurs.

— Deyer ?

— Oui, Deyer. D-E-Y-E-R.

— Et c'est où ? demande Gontran que cet échange commence à étourdir.

— C'est dans le… commence la naine.

Elle s'arrête brusquement, tend la main.

— Redonnez-moi ce papier.

Elle reprend sa loupe.

— C'est dans le D8H R7Z, c'est-à-dire, exactement le code postal inversé de celui votre île d'Ailleurs. Amusant, non ?

— Je dirais même plus, c'est… stupéfiant, fait madame Gagnon.

Sa phrase finie, sa bouche reste ouverte. C'est Gontran qui doit la lui refermer.

— Maman ? Ça va ?

Madame Gagnon regarde son fils.

— J'ai l'impression que ton père a réussi, mon poussin.

Devant le visage perplexe de son fils, elle poursuit.

— Il a traversé dans l'autre monde.

La dame naine sourit derrière son comptoir.

— Avez-vous besoin de timbres avec ça ? Mmm ?

11

UN SANS-ABRI À L'ABRI DANS L'ABRIBUS

Gontran pousse sa mère dans un abribus. Il ne peut pas continuer à courir sous la pluie sans comprendre ce que madame Gagnon vient de lui révéler.

— Ça ne peut pas attendre qu'on soit à la maison, mon poussin ? Il me semble que je t'expliquerais mieux si j'étais au sec et au chaud.

— Dis-moi au moins de quel autre monde tu parles, maman.

— L'autre monde. L'autre monde. Comment t'expliquer ça assez simplement pour que tu comprennes avant que j'attrape le rhume... Il existe quelque part, de l'autre côté de l'espace-temps, un monde parallèle où tout est pratiquement identique au nôtre, mais inversé.

— Comme une sorte de reflet ? suggère Gontran. Comme si c'était un miroir de notre monde ?

Le visage de madame Gagnon s'épanouit.

— Exactement. Tu as déjà tout compris. Tu es tellement intelligent !

Elle passe sa main mouillée dans les cheveux trempés de son fils, faisant ruisseler des gouttelettes sur le nez de Gontran.

— Sauf que ce reflet existe pour de vrai, poursuit madame Gagnon, en secouant sa main pleine d'eau. Ce n'est pas seulement une image. Tout y est aussi réel que dans notre monde. Sauf que cet univers est inaccessible pour notre réalité. Il existe de l'autre côté de notre espace-temps. Et jusqu'à maintenant, personne n'a réussi à traverser.

— C'est là-dessus que vous travailliez, papa et toi, avant qu'ils déménagent le laboratoire au Groenland ?

Madame Gagnon frissonne en faisant oui de la tête. Gontran ne sait pas si c'est la pensée de la banquise qui lui donne froid ou le fait qu'elle soit toute trempée. Il ose une dernière question :

— Et tu crois vraiment que papa a réussi à traverser dans cet autre monde ?

— J'en ai bien l'impression.

— Ce n'est pas beau de mentir aux enfants, marmonne une voix en provenance du fond de l'abribus.

Gontran et sa mère sursautent. La voix semble sortir d'un tas de papier journal. La tête hirsute et barbue d'un itinérant apparaît derrière une page du cahier des sports.

— Pourquoi vous ne lui dites pas simplement la vérité ? Ton papa est mort, mon petit. C'est comme ça. C'est la vie.

— Mais qu'est-ce que vous racontez ? Mon père n'est pas mort ! s'écrie Gontran.

— Je sais, c'est dur à accepter, dit le barbu en hochant la tête. J'étais comme toi quand papa est mort. Je ne voulais pas le croire.

— Mon mari est en parfaite santé, monsieur.

— Ouais, c'est vrai. On l'a vu à l'hôpital, pas plus tard qu'hier, ajoute Gontran. Il allait très bien.

L'homme ricane.

— Oh ! En parfaite santé à l'hôpital… Je vois.

Et il continue à rire dans sa barbe.

— Ce n'est pas ce que vous croyez, réplique madame Gagnon. On l'a mis… euh… là-bas après qu'il soit devenu… euh… comme ça, mais il n'est pas malade…

— Hein ? fait le barbu, qui n'a pas tout compris de l'énigmatique phrase de madame Gagnon.

— Il est à l'hôpital psychiatrique, précise Gontran. Il a brusquement perdu la raison, mais il va très bien.

— Ah ! c'est ce que vous voulez dire par « passer dans l'autre monde », s'exclame l'itinérant, avec un hoquet moqueur. Ouais, c'est une façon de dire les choses. Mais on peut aussi dire « fou », c'est plus court.

Les yeux de madame Gagnon font leur tour du monde dans un sens, puis dans l'autre. Elle pousse un soupir.

— Bon, monsieur, si vous voulez bien vous mêler de vos affaires, ce serait gentil. Mon mari n'est pas f… f… FOU ! lâche-t-elle après un laborieux effort. Il lui est arrivé quelque chose de mystérieux. Je suis sûre qu'il y a une explication scientifique. Je ne sais pas encore laquelle, mais je vais la trouver.

Elle prend son fils par le bras.

— Allez, Gontran, viens ! On rentre à la maison.

Là-dessus, elle sort de l'abribus en tirant son garçon derrière elle.

— Gontran ? lâche le barbu à demi enseveli sous les journaux. Vous avez bien dit « Gontran »?

Il se lève, fouille dans le tas de papiers qui s'entasse sur le sol, en attrape un et l'agite.

— Eh ! m'sieur, dame, est-ce que votre histoire a un rapport avec le dénommé Gontran Gagné, l'homme qu'on a retrouvé derrière l'ancien garage d'autobus ?

Madame Gagnon a un moment d'hésitation. Elle est furieuse contre le sans-abri sans-gêne, mais le fait qu'il connaisse l'histoire l'intrigue. Elle se retourne. Le bonhomme brandit un bout de journal.

— Est-ce que c'est lui ? demande-t-il.

— Il a un article avec une photo de papa, s'étonne Gontran.

Il tire sa mère vers l'abribus.

— Viens, on va voir ce qu'il sait.

Madame Gagnon se laisse entraîner sans offrir de résistance.

— C'est mon père, dit-il au barbu.

— Ah bon, marmonne l'itinérant.

Il se laisse tomber sur son tas de papier journal comme si l'incident était clos.

— C'est tout ? hurle madame Gagnon. Vous n'avez rien d'autre à nous dire ?

— Vous voulez que je me mêle de mes affaires ou non ? rétorque le barbu.

— Non ! répond madame Gagnon. Plus maintenant. Dites-moi tout ce que vous savez sur mon mari. Vous avez vu quelque chose ?

L'itinérant laisse passer de longues secondes de silence. Comme s'il se demandait ce qu'il allait bien pouvoir raconter.

— Bien sûr que oui, lâche-t-il finalement. Je squattais le garage abandonné à cette époque. C'était avant que la police ne me force à déménager.

— Et... qu'... qu'avez-vous vu ? balbutie madame Gagnon en serrant le bras de son fils.

— Il me semble que j'expliquerais mieux au sec et au chaud, vous ne pensez pas ?

— Vous avez tout à fait raison.

12

THÉ, BISCUITS ET RÉVÉLATIONS CHOC

Assis devant une tasse de thé, Samuel – c'est le nom de l'itinérant– attaque son huitième biscuit aux pépites de chocolat.

Madame Gagnon le regarde avec envie tout en grignotant une carotte.

—Alors ? demande-t-elle, en trempant sa carotte dans son thé.

—Ils sont délicieux, répond Samuel, avec une moue de connaisseur.

—Je ne parlais pas des biscuits, mais de mon mari. Qu'avez-vous vu au juste ?

Gontran arrête immédiatement de mâcher. Il ne voudrait surtout pas que le bruit de la mastication lui fasse manquer ne serait-ce qu'un mot de l'histoire.

— Eh bien, c'est que ça fait assez longtemps déjà, commence le barbu. J'ai oublié pas mal de choses.

— Dites toujours ce dont vous vous souvenez, propose le garçon.

— Eh bien, monsieur Gontran venait souvent au garage le matin très tôt.

— En faisant son jogging ? demande madame Gagnon.

Samuel la regarde avec un sourire en coin.

— Est-ce qu'il faisait son jogging en voiture ?

— Euh non... bafouille madame Gagnon.

— Eh ben, ça ne devait pas être ça, rétorque l'itinérant. Parce qu'il arrivait avec sa voiture et la rentrait dans le garage.

Le barbu cesse de parler un instant. Il a l'air de revoir des images en cinémascope dans sa tête.

— Il était très gentil, monsieur Gontran. Il m'apportait souvent des muffins.

— Ah ! c'est donc pour ça qu'il ne grossissait pas ! s'exclame madame Gagnon. Je croyais que c'était à cause de son jogging qu'il pouvait manger autant de pâtisseries sans prendre un gramme !

— Et qu'est-ce qu'il faisait ? demande Gontran, peu intéressé par les problèmes de poids des adultes.

— Eh bien, il travaillait sur sa machine.

— Quelle machine ? s'écrient en chœur Gontran et sa mère.

— Ben, je ne sais pas, moi. Je ne suis pas un scientifique. Je suis musicien. Chanteur d'opéra, pour être plus précis.

— Vous ? fait Gontran, surpris.

— Ben oui, moi. En voulez-vous la preuve ?

Avant que Gontran et sa mère aient eu le temps de répondre, Samuel repousse sa chaise, propulse sa main droite vers le plafond et entreprend d'interpréter un air du *Barbier de Séville*.

« L'amour est enfant de bohême, qui n'a jamais jamais jamais connu de lois. Si tu ne m'aimes pas, je t'aime. Et si je t'aimeeee... »

Il garde la dernière note. Encore. Et encore. Le thé tremblote dans les tasses. Les miettes de biscuits s'agitent sur la table. Ce n'est que lorsque le micro-ondes sonne sans raison que l'itinérant s'arrête et, toussant et crachant, reprend sa chaise pour y redéposer son postérieur.

— Bon, je manque un peu d'entraînement, mais le fond est là, dit-il en attrapant un nouveau biscuit.

— Donc, mon mari allait régulièrement travailler sur sa machine, le matin…

Madame Gagnon hésite. Elle veut poser une autre question, mais elle a un peu peur de la réponse, alors elle n'ose pas trop la formuler.

— Est-ce que… euh…

— Euh quoi ? fait le sans-abri.

— Est-ce qu'il y avait… euh…

Samuel fronce les sourcils.

— Est-ce qu'il y avait une… euh ?

Le barbu lève les yeux au ciel.

— Je peux revenir dans une heure si vous voulez. Ça vous laissera le temps de finir votre phrase.

— Est-ce qu'il y avait une femme avec lui ? demande finalement madame Gagnon en vidant ses poumons.

— Une femme ? s'étonne le sans-abri. Non, pas de femme. Je n'ai jamais vu de femme par là.

Le sourire qui se dessine sur le visage de madame Gagnon est aussi large qu'une banane.

— Vous prendrez bien un autre biscuit pour fêter ça ! propose madame Gagnon.

L'itinérant, ravi, en attrape deux.

— Et ça faisait longtemps qu'il se rendait au garage tous les matins ? veut savoir Gontran.

— Oh ! Au moins un an. Si c'est pas plus. À moins que ce soit moins ? Ou plus ou moins ? Parfois le matin très tôt. Parfois plus tard. Aux alentours de 9 heures.

— Et il arrivait en retard au labo ? s'étonne madame Gagnon.

Le sans-abri hausse les épaules.

— Je ne sais pas, moi. Ce n'était pas vraiment mon problème, vous savez.

— Et qu'est-ce qu'il faisait avec cette machine ? demande Gontran.

— Des tours de magie, répond le barbu en buvant une gorgée de thé pour faire passer son énorme bouchée.

— Des tours de magie ? clame Gontran, étonné.

— Oui, il faisait apparaître et disparaître des objets. Il mettait les objets dedans et parfois, pouf ! ils disparaissaient. D'autres fois, ils réapparaissaient. C'était un grand magicien, votre mari.

Madame Gagnon regarde l'itinérant. Elle se demande s'il se moque d'elle.

Elle brasse son thé avec sa carotte.

— Vous devez vous tromper, mon mari est physicien, pas magicien.

— Bah ! Pour moi, c'est du pareil au même.

— Et elle ressemblait à quoi sa machine ? demande Gontran.

— La première, on aurait dit un gros aquarium, un genre de bocal carré, vous voyez ce que je veux dire ?

De ses deux grosses mains, il mime le format de l'aquarium en question.

— Parce qu'il y en a eu une deuxième ? s'étonne madame Gagnon.

— Oui, une énorme. Il a refait la même machine, mais en plus gros. Suffisamment grande pour entrer sa voiture dedans. Le matin de sa disparition, il a stationné sa voiture dans sa machine géante et pouf ! il est disparu avec elle. Et avec les muffins qu'il m'avait apportés d'ailleurs, ajoute l'itinérant d'un air déçu. Ne me demandez pas comment il a fait pour réapparaître dans le terrain vague. Je n'en ai aucune idée. D'ailleurs, je dormais à ce moment-là. C'est bien joli les tours de magie, mais il n'y a rien comme une sieste l'après-midi si on veut conserver sa santé.

Gontran regarde sa mère. À son air concentré, il voit que son cerveau est en train de tourner à pleine vapeur. Elle broie une carotte entière en moins d'une seconde avant de lancer :

— Et où est-elle, cette machine, maintenant ?

— J'imagine qu'elle est restée dans le garage. Les policiers n'avaient pas l'air de s'intéresser beaucoup à elle. Jamais ils n'auraient pensé que cet engin pouvait avoir un lien avec la disparition de votre mari.

— Et pourquoi vous n'avez rien dit, vous ? s'insurge madame Gagnon.

— Pensez-vous vraiment qu'on aurait cru un itinérant qui prétend qu'un homme est devenu fou après avoir garé sa voiture dans un aquarium géant ? Non, ce n'était pas la peine. J'ai mis une vieille bâche sur la machine. Et, sauf votre respect, vu l'air qu'avait votre mari en en sortant, je n'ai jamais eu envie de m'approcher de cette machine par la suite.

Madame Gagnon a déjà la main sur la poignée de porte quand Gontran demande :

— Est-ce qu'on va voir ça, maman ?

13

INSPECTION AU GARAGE

Le garage abandonné est à la sortie de la ville. Mais Samuel refuse de prendre l'autobus. C'est contre ses principes, prétend-il, de monter dans des véhicules pleins de microbes humains alors qu'on a deux jambes en parfait état de marche qui nous permettent de profiter de l'air frais de la ville. C'est donc à pied que Gontran, sa mère et l'itinérant se déplacent jusqu'au boulevard Maurice Marcel.

—Je vous accompagne, les prévient Samuel. Mais je ne pourrai pas rester très longtemps. D'abord parce que la police m'interdit de m'approcher du garage depuis l'accident de votre mari. Ensuite, parce que j'ai un rendez-vous.

— Un rendez-vous ? répète machinalement madame Gagnon, perdue dans ses pensées.

— Oui, c'est le jour de ma partie d'échecs avec Céline.

— Céline ? répète de nouveau madame Gagnon, qui semble s'être transformée en perroquet.

— Oui, Céline Pion ! s'esclaffe Samuel. Je joue aux échecs avec Céline Pion !

Le bonhomme trouve sa blague tellement bonne que Gontran ne peut s'empêcher de rigoler avec lui. Même madame Gagnon, qui n'a pas l'air de comprendre ce qui se passe, rigole, elle aussi.

— Céline, c'est la bénévole qui sert à la soupe populaire, précise l'itinérant. Elle joue toujours une partie d'échecs avec moi quand elle a terminé son service.

— Et vous n'allez pas manger là, vous ? demande Gontran.

— Pas besoin, réplique Samuel.

Il fait un clin d'œil à Gontran.

— Céline m'en garde toujours un peu. Tu sais quoi ? Je la soupçonne d'avoir le béguin pour moi.

Gontran regarde Samuel de haut en bas, de gauche à droite et en travers. Il ne dit rien, mais il se demande si l'itinérant n'aurait pas un peu trop d'imagination. L'amour est peut-être aveugle, mais il y a quand même des limites. Des limites que le nez le plus bouché n'oserait franchir.

— Si ça peut te rassurer, mon petit, je passe toujours à la douche avant la partie, précise le sans-abri avec un sourire en coin.

Gontran rougit jusqu'aux ongles des orteils, honteux que ses pensées aient été aussi facilement devinées par leur nouvel ami.

— C'est pas ce que je... bafouille-t-il.

— Mais oui, c'est ça. Et tu as bien raison, rigole Samuel. Mais que veux-tu, entre puer en liberté et embaumer enfermé, j'ai dû faire un choix.

Il entame un air d'opéra pour mettre un terme à la conversation. Gontran en profite pour jeter un regard à sa mère qui avance sans un mot, toujours plongée dans une intense réflexion.

Sa dernière note lancée, le chanteur déclare :

— Trève de Traviata ! Nous y voilà !

En effet, le garage d'autobus se dresse là, juste devant eux. Sa brique rouge est encore plus délabrée que dans le souvenir de Gontran. Dans les mauvaises herbes qui entourent l'immeuble désaffecté, on voit encore des bouts du ruban de plastique jaune que la police avait installé le jour où on a retrouvé monsieur Gagné. Le site avait été surveillé, le temps qu'on fasse une enquête et qu'on déclare que le pauvre homme avait été simplement victime d'une crise de démence. Ensuite, les lieux ont été laissés à nouveau à l'abandon comme ils étaient depuis plusieurs années.

Gontran se précipite sur la porte pour l'ouvrir. Il la secoue de toutes ses forces. Madame Gagnon essaie à son tour pendant que Samuel les regarde d'un air amusé.

—Évidemment que la porte est fermée à clé, rigole-t-il. Qu'est-ce que vous croyiez ? Qu'elle allait s'ouvrir d'elle-même comme au supermarché ? Allez, venez, je vais vous montrer par où il faut passer.

L'itinérant fait le tour de l'immeuble. Il se dirige vers un bosquet, fouille à travers les branchages et trouve enfin ce qu'il cherchait : une échelle.

Il l'attrape par le dernier barreau, la traîne derrière lui jusqu'au garage, puis la soulève pour l'appuyer contre le mur.

Il commence son ascension lorsque madame Gagnon, inquiète de voir l'homme grimper sur une échelle à demi pourrie, lui lance :

—Vous êtes sûr que…

—Je ne suis sûr de rien, déclare l'itinérant. C'est ça qui est bien. Mais vous pouvez toujours tenir l'échelle si ça peut vous rassurer.

Mais madame Gagnon s'inquiète pour rien. Monsieur Samuel est très agile. C'est avec aisance qu'il ouvre la fenêtre du deuxième étage et s'infiltre par l'ouverture, laissant Gontran et sa mère plantés tout seuls dans l'herbe folle.

Quelques minutes plus tard, des bruits se font entendre de l'autre côté de la porte. Des crissements rouillés, quelques coups de marteau, deux ou trois jurons, puis la porte s'ouvre dans un dernier et tonitruant grincement.

—Bienvenue dans mon humble demeure ! fait l'itinérant avec un geste élégant pour les inviter à entrer. Attention où vous mettez les pieds. Je n'ai pas eu l'occasion de faire mon ménage cette année.

L'avertissement n'est pas superflu. Le sol est jonché d'objets divers. Des pièces mécaniques, quelques outils, des morceaux de bois, de métal et de plastique, des caisses vides et des récipients pleins de clous. Dans un coin, se trouve un vieux fauteuil rongé par les mites et l'humidité.

— J'avais oublié à quel point c'était coquet, remarque l'itinérant. Je crois que je vais venir me réinstaller ici. Depuis le temps, les policiers doivent m'avoir oublié.

Gontran sourit. Coquet n'est peut-être pas le mot qu'il aurait choisi, mais il doit admettre que le lieu ne manque pas de charme.

Samuel retire la toile poussiéreuse qui cachait une sorte de boîte vitrée.

— Alors, c'est ça, la machine ? s'exclame madame Gagnon en s'approchant lentement de ce qui ressemble à une petite vitrine de verre, montée sur une armature de métal.

Elle en fait le tour comme si elle devait l'apprivoiser avant de la toucher.

— Ouais, ça, c'est la petite, répond Samuel.

Madame Gagnon se retourne vers l'itinérant d'un coup sec.

— Et la grosse ? s'inquiète-t-elle. Elle n'est plus là ?

Son regard fouille la pénombre à la recherche de la vilaine coupable qui a détraqué son mari.

— Elle doit être encore de l'autre côté, dans le grand garage, répond Samuel.

L'homme ouvre une porte de bois sur laquelle est punaisé un calendrier de 1978.

— Si vous voulez bien me suivre, dit-il en disparaissant dans l'ouverture.

Gontran et sa mère se tiennent par la main pour se déplacer jusqu'à la pièce suivante. La salle qu'ils y découvrent est deux fois plus grande que celle qu'ils viennent de quitter. D'immenses portes occupent tout le mur du fond. Des ouvertures par lesquelles on pouvait faire entrer les autobus pour les réparer à l'époque où le garage était encore en activité.

Au beau milieu de ce vaste espace se dresse l'autre machine. La grosse. Identique à celle qu'ils ont vue dans la première pièce, mais dix fois plus grande.

Madame Gagnon, Gontran et Samuel restent tous les trois en silence à regarder l'immense cage de verre reliée à un moteur d'une complexité d'horlogerie.

— Bon, eh bien maintenant que les présentations sont faites, je vais y aller, moi, annonce tout à coup l'itinérant. Je ne voudrais surtout pas faire attendre Céline… Pion !

L'homme, encore tout content de sa blague, se dirige vers la sortie en gloussant.

— Vous n'aurez qu'à refermer la porte en sortant, lance-t-il avant d'entonner un *Ô Sole mio* retentissant, qui se perd, peu à peu dans le lointain, à mesure qu'il s'éloigne dans la rue.

14

UNE TROUVAILLE ET UNE PERTE

— Qu'est-ce que c'est que cette machine à ton avis ? demande Gontran à sa mère, une fois qu'ils sont seuls.

— Pour le moment, je ne sais pas exactement, répond madame Gagnon. C'est forcément un vacuum portatif.

Devant le regard perplexe de son fils, elle explique :

— Une espèce de gros contenant qui permet de créer un vide, comme une sorte de trou noir dans lequel on peut modifier une des quatre dimensions.

— Quatre ?

— Mais oui, tu sais bien. L'espace a trois dimensions, la hauteur, la largeur et la profondeur…

— Et la quatrième ?

— La quatrième, c'est le temps.

Elle dit ça comme elle aurait annoncé que les êtres humains ont deux pieds. Une information tellement évidente que tout le monde devrait la connaître.

— Je suis sûre qu'en fouillant je vais trouver un indice qui me permettra d'en savoir plus.

Madame Gagnon se promène dans le garage, tripotant un bout de métal, déplaçant un outil, ouvrant une armoire. On dirait une détective sur les lieux du crime.

Alors Gontran fait comme elle. Il tripote, déplace et fouille un peu partout.

La couche de poussière qui recouvre le moindre objet est assez impressionnante. Le garçon a bientôt les mains aussi noires que s'il les avait plongées dans la terre. Mais il poursuit toujours son exploration.

Il ouvre une caisse. Des bouteilles vides de divers formats s'y entassent. Il soulève le pan d'une boîte de carton, retire le tissu qui recouvre l'objet qu'elle contient. Tiens, un ensemble de tournevis. Il pousse la boîte et découvre un étonnant objet. Gontran se penche pour l'examiner de plus près. Qu'est-ce que ça peut bien être ?

Le garçon le dépose sur une espèce de comptoir plein de taches de cambouis. Gontran essuie la machine avec le bout de tissu pour mieux l'observer. Dans son geste et malgré ses précautions, il accroche un levier qui s'enclenche. Oups ! Gontran remet le levier en place. Les boutons n'ont pas de nom, c'est difficile de deviner à quoi ils peuvent servir. Le garçon estime que sa découverte est suffisamment intéressante pour en faire part à sa mère.

— Maman, viens voir ça !

Mais sa mère ne répond pas. Gontran époussette encore l'appareil un petit coup avant de réessayer :

— Maman, viens ! J'ai trouvé une machine ! Je suis sûr que ça va t'intéresser.

Toujours pas de réponse. Gontran a un mauvais pressentiment. Il lâche son torchon, se retourne. Il a beau scruter le moindre recoin du garage, il ne voit sa mère nulle part. Le cœur battant, il court vers l'immense cage de verre, encore en partie recouverte par la bâche.

— Maman ?

Il glisse un œil à l'intérieur. Vide. Personne. L'angoisse l'étreint. Et s'il avait fait disparaître sa mère en enclenchant le levier de la machine ?

— MAMAN!!!! hurle le garçon, les larmes aux yeux.

Il court à l'appareil, réactionne le levier à plusieurs reprises. Appuie sur différents boutons. Son cœur bat à une vitesse folle. Il regarde de nouveau autour de lui. Toujours pas de mère à l'horizon. Il retourne à l'espèce d'aquarium géant. Encore vide. Il revient à l'appareil, réactionne le levier, regarde autour de lui, court à nouveau à l'aquarium. À l'appareil. Autour de lui. À l'aquarium. Au levier. À l'appareil…

Gontran court dans tous les sens, il ne sait plus trop ce qu'il fait. Il appuie sur tous les boutons, frappe l'appareil, réappuie sur les boutons. Puis, désespéré, il se laisse tomber sur le sol.

— Mamaaaan !

Il est seul dans le vaste garage. Seul comme il ne l'a jamais été de toute sa vie.

15

UNE APPARITION

Soudain, des pas précipités se font entendre derrière Gontran.

— Mon dieu ! Qu'est-ce qu'il y a, mon poussin ? Tu t'es fait mal ?

Madame Gagnon apparaît en train de boutonner son pantalon. Elle se précipite sur le sol aux côtés de son fils. Un nuage de poussière s'élève autour d'eux.

— Qu'est-ce qu'il y a ? Ça va ? Tu n'as rien ? demande-t-elle en caressant le visage de Gontran.

Ses mains sales laissent des traînées grisâtres là où les larmes du garçon ont coulé.

—Je pensais que tu étais disparue, parvient à dire Gontran en surmontant son émotion. Où étais-tu ?

Madame Gagnon a une moue gênée.

—J'étais... en fait... je cherchais des toilettes. Avec tout ce thé qu'on a bu, j'avais besoin de...

Elle regarde son fils, barbouillé et ébranlé.

—J'aurais dû te prévenir avant de sortir. Excuse-moi, je ne pensais pas que tu t'inquièterais. Et surtout, je ne croyais pas que ça me prendrait autant de temps. Il a fallu que j'ouvre un nombre incalculable de portes avant de trouver la bonne. C'est immense, ici.

Madame Gagnon s'assoit plus confortablement sur le sol, à côté de Gontran. Elle soupire :

—Quand je t'ai entendu crier, j'ai eu peur. S'il fallait qu'il t'arrive quelque chose...

Rien que d'y penser, ses yeux se mettent à cligner.

—Ça va, maman. Je suis désolé, j'ai paniqué un peu... Mais tout va bien, ne t'en fais pas.

Même si le ton de Gontran est tout à fait rassurant, les yeux de sa mère continuent de s'agiter. Elle avance la tête pour mieux voir. La recule. L'avance à nouveau.

— Je te dis que ça va, maman.

La mâchoire de madame Gagnon semble attirée vers le sol comme par un aimant. Sa bouche est tellement grande ouverte que si l'éclairage était meilleur, on pourrait voir ses amygdales.

— Grhnn... tente-t-elle d'articuler sans refermer la bouche.

— Maman ? s'inquiète Gontran.

Le choc nerveux a-t-il été assez terrible pour que sa mère perde l'usage de la parole, elle aussi ? Est-ce que la seule visite de ce lieu maudit peut avoir des conséquences sur le cerveau ? Est-ce que Gontran a provoqué quelque chose avec l'appareil ?

Le regard toujours fixé droit devant elle, madame Gagnon ferme et ouvre les paupières. Sa mâchoire reprend très lentement sa position normale. C'est dans un souffle qu'elle demande :

— Est-ce que je suis folle, mon poussin ?

Décidément, sa mère a le chic pour se poser les mêmes questions que lui.

— Euh...

— Est-ce que je suis la seule à voir une voiture dans cette espèce d'aquarium ?

— Une quoi ?

C'est en dixièmes de seconde que se compte le temps que prennent Gontran et sa mère pour se retrouver debout devant la boîte de verre géante.

— C'est notre voiture ! s'écrie madame Gagnon. Elle est revenue ! Comment est-ce possible ?

Elle se gratte la tête à deux mains.

— Est-ce que ça peut avoir un rapport avec la chasse d'eau des toilettes ? Elle ne fonctionnait même pas...

— Je crois que j'ai une meilleure hypothèse, maman.

Gontran entraîne sa mère vers le comptoir où repose toujours l'appareil. Il lui explique comment il a tiré et poussé le levier accidentellement, et comment, pris de panique, il a appuyé sur tous les boutons dans l'espoir de faire apparaître sa mère. Probablement qu'il a déclenché quelque chose sans faire exprès. Mais comment savoir quel bouton c'était ?

— Ça n'a aucune importance, déclare madame Gagnon. De toute façon, je n'ai pas l'intention de faire redisparaître la voiture pour le moment. Écoute, mon poussin, je crois que le mieux à faire pour l'instant, c'est de rentrer à la maison se laver et manger un peu. On reviendra demain pour étudier cet appareil d'un peu plus près. D'ici là, je vais réfléchir et j'aurai peut-être une idée plus précise de son fonctionnement.

Gontran regarde sa mère du coin de l'œil.

— Et on y va comment ?

— Comment comment ?

Il pointe la voiture.

— Est-ce qu'on est obligés de rentrer à pied ?

Madame Gagnon fouille dans son sac à main. Des mouchoirs, une pince à épiler, un porte-monnaie, des dés, une balle de ping-pong, un tournevis, des bouts de papier chiffonnés, un bonbon à la menthe et deux clous de girofle. Tout cela est maintenant répandu sur le comptoir sale du garage.

— Je n'ai pas la clé de la voiture, mon poussin.

Un éclair traverse son regard.

— À moins que… Ton père laissait toujours une clé sous le pare-soleil. Elle est peut-être encore là ?

Elle avance d'un pas décidé vers l'aquarium, mais freine juste avant d'en franchir le seuil.

— Euh…

Elle se retourne vers son fils.

— Et si c'était dangereux d'aller là-dedans ?

— On ne le saura jamais si on n'y va pas, rétorque Gontran.

— Je sais bien, mais… Est-ce que ça vaut la peine de prendre le risque de devenir euh… comme papa ?

Gontran est fatigué, il a faim. Il sent que sa mère est inquiète.

— Ouais, peut-être pas aujourd'hui, hein ? finit-il par dire.

Madame Gagnon sourit faiblement.

— C'est vrai. Peut-être vaut-il mieux qu'on soit raisonnable, admet-elle en reculant de quelques pas. On reviendra demain. Après une bonne nuit de sommeil, on aura les idées plus claires.

Elle va rejoindre Gontran et glisse son bras autour de ses épaules.

— Tu es bien sage pour ton âge, mon poussin. Je suis fière de toi. Allez, viens, on rentre maintenant.

Ils se dirigent en silence vers la sortie. C'est sans se consulter qu'ils s'arrêtent tous les deux pile au même moment, puis, après avoir échangé un bref regard, font demi-tour pour retourner vers l'énorme aquarium.

— On a qu'à apporter l'appareil que j'ai trouvé avec nous, dit Gontran. S'il se passe quelque chose d'anormal, on retrouvera bien le bouton pour revenir.

— Excellente idée ! réplique madame Gagnon en sautillant sur place.

Elle attrape l'appareil sous son bras. De sa main libre, elle saisit celle de son fils.

— Advienne que pourra ! s'écrie madame Gagnon.

Et tous les deux s'engouffrent dans la boîte en verre.

Rien. Il ne se passe rien.

— C'est déjà ça, commente madame Gagnon.

Elle pose l'appareil plein de leviers et de boutons sur le capot du véhicule. La fenêtre de la voiture est ouverte. Gontran glisse la main à l'intérieur et baisse le pare-soleil. Un trousseau de clés tombe sur le siège du conducteur.

— La clé est là, maman !

— Eh bien, monte, mon poussin ! Qu'est-ce que tu attends ?

Après avoir déposé l'appareil sur la banquette arrière, madame Gagnon s'installe derrière le volant. Elle insère la clé dans le démarreur. L'instant est crucial. On ne sait pas comment les choses peuvent tourner à partir de là. Elle pose la main sur la jambe de son fils.

—Je t'aime, mon poussin. Quoi qu'il arrive, je veux que tu le saches.

—Moi aussi, maman, répond Gontran, la gorge un peu serrée par le ton solennel de sa mère,

—Es-tu prêt ? demande madame Gagnon en empoignant la clé de contact.

Gontran a peur que sa voix trahisse son inquiétude. Il se contente de hocher la tête pour signaler à sa mère qu'elle peut démarrer.

Madame Gagnon tourne la clé. Le moteur tousse un peu, mais s'étouffe aussitôt.

La mère de Gontran tourne de nouveau la clé. Cette fois, la voiture vrombit pour de bon.

La physicienne sourit à son fils, ferme les yeux, respire profondément. Puis elle enclenche une vitesse.

Le bruit qui se fait alors entendre ressemble à celui d'une scie ronde en furie. C'est un son tellement strident qu'il paraît inconcevable qu'on puisse l'entendre sans saigner des tympans. Mais la lumière qui aveugle soudain Gontran et sa mère est si violente qu'elle leur fait presque oublier d'avoir mal aux oreilles.

Malgré l'éblouissement, Gontran aperçoit avec horreur qu'une porte vient d'apparaître derrière la voiture, les enfermant dans la cage transparente. Le garçon est en train de se demander si la voiture va exploser et dans combien de temps il sera mort, quand il est secoué sur son siège.

Le bruit s'estompe, l'intensité de la lumière diminue. Il ne reste que la voiture qui hoquette quelques secondes avant de s'éteindre complètement.

Derrière eux, la porte que Gontran avait aperçue est disparue.

—Ouh la, commente madame Gagnon. Je n'aurais pas fait 600 kilomètres dans ces conditions...

Gontran, lui, est trop sonné pour parler. Il observe sa mère qui se recoiffe tout en consultant le tableau de bord.

—Je crois que c'est la première fois que je suis aussi heureuse d'être tombée en panne d'essence.

—On est tombé en panne d'essence ? parvient à articuler Gontran.

—Eh oui. C'est ce qui nous a sauvés. Je me demande bien où on serait rendus à l'heure actuelle si le réservoir avait été plein.

Elle ouvre sa portière.

— Tu viens, mon poussin ? Je crois que, pour aujourd'hui, la marche est encore le meilleur moyen de rentrer à la maison...

Après avoir refermé la porte du garage, Gontran et sa mère entament, les jambes flageolantes, le chemin du retour.

16

UNE SOIRÉE RÊVÉE POUR RÊVER

— On ne devrait pas aller voir papa pour lui raconter qu'on a trouvé son laboratoire ? demande Gontran en attaquant son macaroni gratiné.

Il regarde sa mère au travers de la vapeur qui monte de son assiette trop chaude. Madame Gagnon hoche la tête, pensive.

— Tu as peut-être raison, mon poussin. Cela pourrait le faire réagir. Même que…

Elle pique un macaroni sur sa fourchette, le contemple sous toutes ses facettes.

— Que...? fait Gontran pour savoir la suite.

— Même que... se contente de répéter madame Gagnon, les yeux toujours fixés sur sa nouille.

La fourchette tourne sur elle-même. Le pauvre macaroni esseulé refroidit peu à peu sous le regard distrait de sa propriétaire.

— Que quoi ? insiste le garçon.

Toujours pas de réponse. On dirait que le macaroni a hypnotisé madame Gagnon.

— Que quoi, maman ? s'impatiente Gontran.

— Désolée, mon poussin, je ne me souviens pas de ce que je voulais dire.

Gontran soupire. C'est bien sa mère, ça. Le garçon mange quelques bouchées avant de proposer :

— On pourrait peut-être sortir papa de l'hôpital pour l'emmener au garage ? Qu'est-ce que tu en penses ?

Madame Gagnon pointe sa fourchette vers son fils d'un mouvement si soudain que le macaroni qui y était piqué est propulsé vers le frigo.

— C'est ça ! C'est ça que je voulais dire tout à l'heure ! On devrait emmener ton père au labo avec nous !

Elle regarde sa fourchette vide d'un air étonné. Gontran pointe le sol, à côté du frigo.

— Oups, fait madame Gagnon en apercevant sa nouille sur le carrelage.

— Est-ce qu'on y va dès ce soir, tout de suite après le souper ?

Madame Gagnon secoue la tête.

— Non, mon poussin. Demain, c'est plus raisonnable.

— Mais est-ce qu'on est vraiment raisonnables ? demande Gontran.

— Pas toujours, admet madame Gagnon. Mais j'ai besoin de temps pour réfléchir. Jouer avec l'espace-temps peut être risqué. Ce serait bien que je comprenne un peu la nature de cette machine avant de l'utiliser.

Elle déplace quelques macaronis dans son assiette avant de murmurer, le regard perdu dans le lointain :

— Pour le moment, je n'arrive pas à trancher si cet appareil est un brise-temps ou perce-espace... Si le code postal est inversé sur le paquet, il me semble que c'est un signe que l'adresse vient d'un monde parallèle. Pourtant, j'ai plutôt l'impression que cet appareil sert à voyager dans le temps...

Ses yeux se mettent à cligner. De petites larmes se forment à l'ombre de ses paupières. La gorge nouée, elle continue :

— Ce que je ne comprends pas, c'est pourquoi ton père ne m'a jamais parlé de ses recherches.

Son menton se met à trembler. Puis, brusquement, il se fige. De tout tendre et triste qu'il était, le visage de madame Gagnon devient dur et froid.

— C'est sûrement à cause de cette satanée...

Madame Gagnon se met à piquer sauvagement ses macaronis innocents.

— Cette... foutue... Cette femme...

Elle pique, elle pique les macaronis. Sa fourchette est chargée de pâtes à pleine capacité, mais elle continue d'attaquer son assiette comme une enragée.

— Cette fameuse Isabella de mes...

Madame Gagnon enfourne son immense pelletée de macaronis dans sa bouche, étouffant la dernière syllabe. Puis elle se met à pleurer, la bouche pleine. Reniflant et mâchant en même temps, elle attrape la main de Gontran :

— Echcuche-moi, mon pouchin.

Elle avale un peu.

— Je crois que j'ai vraiment besoin d'une bonne nuit de sommeil.

❁

Gontran installe le casque de la machine à rêver sur la tête de sa mère.

—Je suis sûr qu'un bon petit rêve agréable est la meilleure chose pour se changer les idées, maman. Alors, tu vas retourner à ton rêve de l'autre jour et tu vas te détendre, d'accord ?

—Tu as peut-être raison, encore une fois, mon poussin. Tu sais, penser que mon mari m'a trompée est déjà douloureux, mais apprendre qu'il me cachait ses découvertes scientifiques alors que c'est avec moi qu'il a commencé à faire les recherches, c'est trop dur. Trop dur.

—Je suis sûr qu'il y a une explication, maman. Papa t'aime, j'en suis convaincu. Allez, relaxe un peu. Tu ne pourras jamais t'endormir si tu gardes les poings serrés comme ça.

Madame Gagnon s'allonge dans son lit. Gontran la borde.

—Allez, fais de beaux rêves maintenant.

Sa mère fait un mince sourire en hochant la tête. Elle a sûrement la gorge trop nouée pour parler.

Le garçon recule dans le corridor et appuie sur le bouton de mise en marche. Le corps de madame Gagnon est traversé de petites secousses, puis sa tête s'enfonce dans l'oreiller et sa respiration devient plus régulière.

Le délicieux goût de chocolat aux noisettes fait frémir de plaisir les papilles de la physicienne en vacances. Ça ne prend qu'un instant pour que l'agréable sensation se répande dans toute sa bouche. On dirait même qu'elle coule dans ses veines, jusqu'au dernier de ses orteils. Ahhhhhh ! Quel bonheur ! Et dire qu'il y a encore plein d'autres morceaux à manger !

Elle attrape le suivant. Le soleil fait miroiter l'eau du lac. Le vent est chaud.

— Je vais faire un tour de vélo pour te cueillir un bouquet de fleurs, ma petite maman d'amour, annonce Gontran fils.

— C'est trop gentil, marmonne madame Gagnon, la bouche pleine.

Un oiseau chante dans un arbre voisin. Un autre lui répond. Son chant se perd dans le bruissement des feuilles.

— Tu es si belle, ma chérie, murmure son mari en lui attrapant la main. Je t'aime et je t'aimerai toujours.

Madame Gagnon croque une noisette avant de demander :

—Et cette Isabella, qui est-ce ?

—Mon arrière-arrière-grand-mère.

Un sourire béat s'épanouit sur les lèvres de madame Gagnon.

—Moi qui croyais que tu me trompais !

—Jamais je ne ferais cela, ma petite biche. Je n'aime que toi, tu le sais bien.

Le sourire de madame Gagnon remonte encore d'un cran. Ses paupières papillonnent d'extase.

—Et ces recherches que tu as faites dans l'ancien garage d'autobus ? Pourquoi me les as-tu cachées, alors ?

Monsieur Gagné caresse la main de sa femme.

—Je voulais te faire une surprise pour ton anniversaire, mais les choses n'ont pas tourné comme je l'avais prévu. Je suis désolé.

Madame Gagnon veut mettre un nouveau morceau de chocolat dans sa bouche, mais elle sourit tellement qu'elle a de la difficulté à l'insérer.

—Ce n'est pas grave, pas grave du tout, mon amour. Tu es tellement merveilleux et je suis si heureuse que tu sois de retour.

Elle se lève de sa chaise longue pour aller embrasser son mari, mais ses pieds se prennent dans les objets qui encombrent le garage d'autobus.

Samuel l'interpelle du fond de son abribus. Il agite un journal où paraît un article sur le macaroni au fromage. Gontran fils hurle quelque part. Madame Gagnon cherche d'où vient la voix. Elle provient de la photo de son mari, à la une du journal.

— Maman, maman !

Madame Gagnon ouvre les yeux. Elle est debout dans son lit. Gontran lui tient la main.

— Viens, maman. Descends de là maintenant.

Madame Gagnon obéit machinalement.

— Tu as fait de beaux rêves ? demande Gontran.

À peine sa mère a-t-elle ouvert les yeux qu'elle les referme pour essayer de retrouver la sensation qu'elle vient tout juste de quitter.

— C'était merveilleux, mon poussin, merveilleux. Même que j'en aurais bien pris encore un peu, soupire madame Gagnon en retirant le casque.

Gontran lève les bras en signe d'impuissance.

— J'ai été obligé d'arrêter la machine quand tu t'es mise debout. Tu m'as dit de te réveiller si tu devenais somnambule.

— Je sais, soupire de nouveau madame Gagnon.

Mais elle a beau soupirer, le petit sourire qui flotte sur ses lèvres fait plaisir à voir. Le garçon ne peut s'empêcher de le constater : sa mère va déjà beaucoup mieux que tout à l'heure.

— On dira ce qu'on voudra, les rêves redonnent de l'espoir, dit madame Gagnon, comme pour confirmer les pensées de son fils.

Elle pousse un nouveau soupir et, tout sourire, lui tend l'appareil.

— J'imagine que c'est ton tour maintenant ?

Gontran ne se fait pas prier. Il file vers sa chambre avec le casque. Quelques secondes plus tard, il est bien installé au creux son lit.

— Prêt ? demande sa mère.

— Prêt ! répond le garçon.

17

LE PRINCE GONTRAN ET LA PIERRE DE CARMACK

— La pierre ! hurle Magellan en tentant du mieux qu'il peut de maîtriser le sorcier Humbaba.

Mais l'horrible personnage lui échappe comme un serpent visqueux.

Magellan plonge alors vers le feu pour tenter d'arracher le sceptre qui brûle au milieu des flammes.

Humbaba ricane. D'un geste, il fait tournoyer l'arme dans le brasier, juste au moment où l'homme-tigre allait l'attraper.

Encore secoué, le prince Gontran se relève du sol où le choc l'avait projeté.

— Vite, prince ! Il faut y jeter la pierre, implore Magellan en bondissant de nouveau à l'attaque du sorcier.

Cette fois, le prince comprend. La pierre de Carmack ! Comment n'y avait-il pas pensé plus tôt ? Cette roche, issue de la nuit des temps, est descendue par grappes de la montagne lors de la dernière glaciation. Son pouvoir magique lui permet de contrer la puissance des flammes. Les elfes en portent toujours un éclat sur eux. Ils s'en servent pour éteindre les feux qu'ils allument lors de leurs déplacements. Ils évitent ainsi de provoquer des incendies de forêts. Mais sera-t-elle efficace contre le brasier maléfique du sorcier Humbaba ?

Ce n'est pas le temps de se poser des questions. Il faut agir.

Gontran tire la roche de l'étui qu'il porte à sa ceinture et la lance de toutes ses forces dans les flammes bondissantes.

À son grand soulagement, le feu disparaît aussitôt, comme aspiré par la terre. Magellan ne perd pas une seconde. Il lâche Humbaba pour plonger vers le sceptre. Il s'empare de l'arme encore brûlante et, malgré la douleur, la tient fermement contre lui.

Mais Humbaba n'as pas dit son dernier mot. D'un seul mouvement, il rallume un nouveau brasier, à quelques pas de l'emplacement du premier. Le sorcier agite son bras osseux autour de sa tête, faisant onduler sa longue toge noire. Les flammes se mettent alors à courir, enflammant l'herbe sèche du cimetière. Le feu s'enfonce sous la terre, se propageant au réseau de racines. Il jaillit brusquement çà et là, en différents coins du cimetière, comme de petites bombes explosant silencieusement dans la nuit.

—Jamais votre ridicule caillou ne viendra à bout de ma puissance. Jamais ! s'écrie le sorcier en riant à gorge déployée.

Gontran s'est précipité pour récupérer la pierre de Carmack. Il est cerné par les flammes, mais la pierre le protège de la chaleur intense du brasier.

Magellan, par contre, est en très fâcheuse position. Les mains brûlées à vif, l'homme-tigre serre toujours le sceptre contre lui, protégeant les âmes des elfes morts du mieux qu'il peut. Les flammes l'encerclent de près. Bientôt elles vont lui lécher les pieds. L'homme-tigre peut voler, mais il doit d'abord courir sur une longue distance avant de décoller et le feu, qui se répand toujours davantage, ne lui permet pas de prendre l'élan nécessaire.

D'un large mouvement, Humbaba enflamme le sommet des arbres qui ceinturent le cimetière.

— Désolé d'avoir à vous l'apprendre aussi brutalement, mais c'en est fini de vous, annonce le sorcier d'une voix caverneuse. Le règne des elfes et des hommes-tigres sur la Vallée du Gnome chauve est maintenant révolu. Vous n'êtes plus les seuls à posséder la clé de l'autre monde.

Gontran et son fidèle ami échangent un regard.

— Quel est le traître qui nous a trahis ? demande Magellan.

— Nous n'avons pas besoin de l'aide de vos traîtres. Vous pouvez les garder, ricane Humbaba. C'est mon frère Carumi qui m'a libéré.

— Comment ? Il a réussi à revenir de l'autre monde ? s'étonne le prince des elfes. Pourtant les humains ne possèdent pas la clé ! Ils ne connaissent même pas notre existence.

— Ah ! Ah ! Vous nous avez encore une fois sous-estimés, mes minets. Sachez que le mal refait toujours surface. Jamais il ne disparaîtra.

— Mais jamais nous ne cesserons de lutter contre lui ! lance fièrement Gontran.

Magellan, entouré de flammes rougeoyantes, rugit pour l'appuyer.

— Vos ancêtres ont tenté de nous annihiler en nous séparant, mais mon frère a trouvé comment utiliser la science des humains à son avantage. Ces êtres sans magie sont tellement assoiffés de gloire qu'ils sont faciles à corrompre. Grâce à leur orgueil, votre pire cauchemar va prendre forme : nous allons venger l'honneur des Puissances du Mal en prenant le contrôle des deux mondes !

Le feu, de plus en plus fort, crépite de partout.

— Et pourquoi votre frère n'est-il pas avec vous si vous êtes de nouveau réunis ? demande Gontran.

— Il est dans votre palais et prépare le terrain pour la grande bataille qui s'en vient. Vos principaux conseillers sont déjà exterminés. Les autres suivront bientôt. Dommage. Vous n'aurez malheureusement pas la chance d'assister au grand spectacle de l'anéantissement des vôtres par vos propres ancêtres. Des créatures mortes revenues à la vie expressément pour soumettre les vivants à notre contrôle. Ah ! Ah ! Quelle excellente idée ! Et quand vos peuples seront entièrement sous notre joug, nous envahirons le monde des humains. Et l'Univers sera à nous ! Rien qu'à nous !

Humbaba éclate de son gros rire effrayant avant de lancer :

— Et maintenant, assez bavardé, rendez-moi le sceptre et qu'on en finisse.

Le sorcier projette toute sa puissance pour l'attirer vers lui, mais Magellan tient bon. Il s'agrippe au sceptre qui se soulève du sol pour virevolter dans les airs.

Furieux, Humbaba secoue l'homme-tigre pour tenter de le faire tomber. Magellan, concentrant toute l'énergie de son peuple dans ses bras, tient l'arme si fermement qu'elle semble presque faire partie de son corps.

Coincé au milieu des flammes, le prince des elfes ne peut qu'assister, impuissant, à la bataille que se livrent le sorcier et son fidèle allié.

— Si tu brises le sceptre, il perdra toute sa puissance, prévient Magellan.

Humbaba serre les dents et continue de secouer l'homme-tigre comme un pantin.

À travers le crépitement des flammes, le prince Gontran perçoit soudain un bruit, semblable à celui d'un tissu qui se déchire. Il se retourne, il ne voit rien. Rien que des flammes, partout autour de lui.

Le bruit se fait de nouveau entendre,

— Gontran ! souffle une voix dans son dos.

Le prince se tourne à nouveau pour tenter de comprendre d'où vient la voix.

— Gontran… Je suis là, derrière toi.

Il a beau se tourner et se retourner, il n'arrive pas à voir qui parle. Pourtant, cette voix, il la connaît bien. C'est celle de…

Gontran sent que quelqu'un l'agrippe par le bras et le secoue.

— Papa, c'est toi ? fait le garçon en ouvrant les yeux.

Sa mère est debout à côté du lit. Elle tient un drap déchiré devant elle.

— Non, je suis ta mère, mon poussin. J'ai essayé de te laisser rêver le plus longtemps possible, mais il y a des limites. Tu as déchiré ton drap tellement tu te retournais dans ton lit ! Un drap presque neuf !

Elle agite le tissu pour en faire la preuve, mais Gontran n'arrive pas à se préoccuper du drap déchiré.

— J'ai rêvé à papa.

— Moi aussi... soupire sa mère, rêveuse.

— Il était là, dans l'autre monde. Il venait me sauver.

— C'est très gentil à lui. J'ai toujours pensé que ton père avait l'étoffe d'un héros, ajoute madame Gagnon en rougissant de plaisir.

— Tu ne comprends pas, maman ! Il était là pour de vrai ! Papa était dans la Vallée du Gnome chauve !

— Je ne voudrais pas te faire de peine, mon poussin, mais la Vallée du Gnome chauve n'existe pas.

Gontran retire le casque. Il sait bien que sa mère a raison, mais il a tellement l'impression que son père était là, pour de vrai, juste à côté de lui, qu'il a de la difficulté à accepter la réalité. Comment une sensation aussi réelle peut-elle être un rêve ?

— Et si c'était là que se trouve l'île d'Ailleurs ? dit-il.

— Gontran, je croyais qu'on en avait déjà discuté. Cet appareil est une machine à rêver. Tout ce que tu y vois est le fruit de ton imagination. Si tu prends la chose trop au sérieux, je vais devoir t'interdire de l'utiliser. C'est un divertissement. Ça sert à s'amuser, à rêver, à se remonter le moral, pas à se mettre des idées insensées dans le crâne. Traverser dans l'autre monde nécessite plus que quelques électrodes sur la tête, crois-moi. C'est comme pour voyager dans le temps, il faut décomposer le moindre atome de ton corps. Et ce n'est pas en se mettant un casque sur la tête qu'on y arrive. Maintenant, assez discuté. Il est tard. Il faut que tu dormes.

Elle s'approche dans l'intention de border son fils, mais se souvient brusquement qu'il manque un drap.

— Ce n'est pas grave, maman. Pour ce soir, je vais me contenter de la couette.

— D'accord, mon poussin. À demain, alors.

18

GONTRAN SAIT PARLER AUX FEMMES

Madame Gagnon racle énergiquement le fond de son demi-pamplemousse, les yeux rivés sur la tartine de Nutella de son fils.

— Alors, maman ? As-tu réussi à trouver comment fonctionnait la machine de papa ?

Madame Gagnon regarde la tartinade de chocolat qui a laissé des traces sur la bouche de son garçon et se pourlèche les lèvres d'envie.

— Hein ? Quoi ? fait-elle sans quitter le Nutella des yeux.

— La machine de papa, as-tu une idée de son fonctionnement ?

— Eh bien, j'ai relu mes notes de recherche avant de me coucher et je crois pouvoir affirmer qu'il s'agit d'un brise-temps.

— Un brise-temps ? Ça sert à quoi ?

— C'est une machine qui sert à briser le mur du temps pour voyager dans la quatrième dimension. On peut aussi l'appeler B4. Mais c'est moins joli.

— Est-ce que ça veut dire qu'elle permet de voyager dans le temps ?

— Exactement.

Gontran hoche la tête. Il est épaté. Son père, son propre père, a inventé une machine à voyager dans le temps !

— Mais je ne comprends toujours pas. S'il a voyagé dans un monde parallèle pour voir... Isabelle chose, il a bien fallu qu'il utilise un perce-espace, continue madame Gagnon en tapotant le fond de son pamplemousse avec son doigt.

Elle s'immobilise un instant avant d'ajouter :

— Mais bon, vu la structure de la machine, ça ne peut pas être vraiment autre chose qu'un brise-temps...

Gontran attrape une nouvelle tranche de pain.

— Quelle est la différence ? demande-t-il, en commençant à la beurrer.

Madame Gagnon lèche son doigt imbibé de jus de pamplemousse, avant de le replonger au fond du fruit.

— Eh bien, un perce-espace sert à sortir du monde tel que nous le connaissons pour passer dans le monde parallèle.

— Ah oui, le reflet…

Le garçon enfonce son couteau dans le pot de Nutella. Madame Gagnon observe chacun de ses mouvements, comme un caméléon qui suit une mouche dont il s'apprête à se régaler.

— Mais ce monde parallèle demeure encore une simple hypothèse de la physique quantique. Personne n'a encore jamais réussi à faire la preuve de son existence. Peut-être que ça n'existe pas du tout. Ou alors pas comme on se l'imagine…

Gontran étale consciencieusement sa pâte chocolatée sur son pain. Il pense au prince Gontran et aux Puissances du Mal qui ont réussi à passer d'un monde à l'autre. Peut-être que la machine de son père parviendrait à le faire passer de l'autre côté ?

—Non, non, non. Ça ne peut être qu'un brise-temps, reprend madame Gagnon.

Le rêve de Gontran s'évanouit aussitôt.

—Et tu crois que papa a réussi à voyager dans le temps avec sa machine ?

—C'est possible. J'imagine qu'au début il a fait des essais avec des objets dans la petite machine, puis il a tenté d'y aller lui-même en utilisant la grosse. Et c'est à ce moment-là qu'il s'est passé quelque chose. Son cerveau s'est détraqué sur le chemin du retour… ou bien n'a pas supporté le voyage.

Le doigt de madame Gagnon passe du pamplemousse à sa bouche à un rythme de plus en plus rapide.

—Ou alors, la panne d'essence a provoqué un mauvais fonctionnement de la machine. Peut-être aussi que ses calculs n'étaient pas tout à fait exacts. Ton père est un grand physicien, mais il est parfois distrait… C'est pour ça que je devais toujours vérifier ses calculs quand on travaillait ensemble.

Madame Gagnon a maintenant les doigts des deux mains dans le pamplemousse.

— Mais pourquoi ? Pourquoi ne m'a-t-il pas fait part de ses recherches ! Pourquoi a-t-il travaillé seul ?

Gontran dépose son couteau plein de Nutella. Il caresse le bras de sa mère.

— Il y a sûrement une bonne raison, maman. Peut-être qu'il voulait te faire une surprise.

Madame Gagnon retire son bras d'un geste brusque.

— Ça, c'est juste un rêve ! La vraie raison, c'est qu'il avait une amoureuse dans une autre époque !

Son visage est traversé de tics. Ses doigts tapotent en rythme le fond du pamplemousse. On dirait qu'elle plaque des accords sur un piano miniature.

— Moi qui l'aimais tellement... Tellement !

Et bing ! Et bang ! Ses doigts s'enfoncent dans l'agrume. Gontran ne sait pas quoi faire pour la calmer. Il n'ose pas bouger. Il la regarde avec inquiétude retirer ses deux mains de la peau du fruit éventré. Elle les laisse pendre devant elle, comme un petit lapin qui s'apprête à sauter.

Le garçon a soudain une illumination. Il prend sa tartine de Nutella et l'approche des doigts de sa mère.

— Tiens, maman. Mange ça. Je crois que tu en as bien besoin.

Madame Gagnon lui lance un regard reconnaissant.

— Qu'est-che que che ferais chans toi, mou pouchin ? sanglote-t-elle en mâchant avec délices la tartine chocolatée.

— Je suis désolée, soupire-t-elle quand elle a tout avalé. Je suis beaucoup trop émotive, ces temps-ci.

— Ce n'est rien, maman. Je comprends. Il se passe beaucoup de choses…

Madame Gagnon essuie une petite tache de chocolat au coin de sa bouche.

— Mais je te promets qu'à partir de maintenant, ça va aller mieux.

La tartine semble l'avoir complètement revigorée.

— Bon, est-ce qu'on va chercher papa maintenant, demande-t-elle ?

Gontran pointe le pot de Nutella sur le coin de la table.

— Et si on se faisait une dernière tartine avant ?

Madame Gagnon sourit et s'empare du couteau.

— Toi, tu sais parler aux femmes !

19

MONSIEUR GAGNÉ QUITTE L'HÔPITAL... À RECULONS

— J'espère qu'ils vont le laisser sortir, s'inquiète Gontran, alors qu'ils descendent de l'autobus, juste devant l'hôpital.

— Il n'y a aucune raison qu'ils refusent. D'abord, c'est dimanche, jour de sortie. Ensuite, ton père est à l'hôpital sur une base volontaire. Il ne représente aucun danger pour la société à ce que je sache !

Les portes automatiques de l'hôpital s'ouvrent sur un Super-Sourcils méfiant.

—Pas de grille-pain ni de bouilloire aujourd'hui ? demande-t-il.

—Pas de cuisinière ni de frigo non plus, rétorque madame Gagnon avec son plus beau sourire.

Gontran ne peut s'empêcher de pouffer de rire. Mais le gardien, qui porte des accents circonflexes poilus au-dessus des yeux, n'apprécie pas qu'on se moque de lui. Il les arrête juste avant qu'ils ne posent le pied dans le corridor.

—Est-ce que je peux vérifier le contenu de votre sac ?

Madame Gagnon soupire.

—Monsieur Lazare, s'il vous plaît, soyez gentil.

Mais le gardien demeure inflexible.

—Je ne suis pas là pour être gentil, mais pour assurer la sécurité des malades et du personnel.

Madame Gagnon lui tend son sac.

—Eh bien, puisque vous y tenez, prenez-le et gardez-le jusqu'à mon retour, déclare-t-elle. Vous pourrez fouiller dedans pendant tout le temps que vous voudrez.

—Mais... bredouille Sourcils d'Enfer.

—De toute façon, ça ne sera pas long, dit Gontran, rassurant. On n'en a pas pour très longtemps.

Le gardien, le sac à main sous le bras, les regarde s'éloigner dans le corridor sans trouver quoi dire pour les retenir.

Monsieur Gagné n'est pas dans sa chambre. Il est à la salle d'exercice. Debout sur un tapis roulant, il marche à reculons, les yeux fixés vers l'arrière de la pièce.

— C'est nous, chéri ! s'écrie joyeusement madame Gagnon en passant la porte.

— Ça va, papa ? ajoute Gontran fils.

Monsieur Gagné saute en bas du tapis. Il recule en prononçant des mots incompréhensibles.

Sa femme s'approche et glisse sa main dans ses cheveux.

— C'est fou, on dirait que tu rajeunis, mon amour. Il me semble que tu avais plus de cheveux blancs avant...

Elle hausse les épaules.

— Peut-être aussi que c'est moi qui vieillis trop vite...

— Est-ce que tu veux venir faire un tour dehors ? demande Gontran en lui attrapant la main.

Le garçon a l'impression qu'une lueur brille dans les yeux de son père, mais le brouillard de la confusion s'installe rapidement de nouveau dans son regard.

Tirant sur sa main, Gontran l'entraîne vers la porte.

Monsieur Gagné se laisse faire. Marcher par en avant semble être un exercice laborieux pour lui, mais avec un peu d'aide, il y arrive.

— On voudrait t'emmener au garage, ajoute madame Gagnon, là où tu avais installé un labo.

Monsieur Gagné marmonne quelque chose en retour, mais rien ne permet de croire qu'il a compris ce qu'on lui a dit.

Toute la famille passe au poste des infirmières pour signer les papiers autorisant la sortie du malade pour l'après-midi.

Puis, comme il marche mieux à reculons, Gontran et sa mère attrapent monsieur Gagné chacun par un bras, et se dirigent vers la sortie en le faisant reculer.

Le roi des sourcils les attend à la porte, le sac à main toujours sous le bras.

— Alors, monsieur Lazare, avez-vous trouvé des objets contrevenant au règlement ? demande madame Gagnon, en récupérant son bien.

— Je n'ai pas eu le temps d'inspecter votre sac, répond Broussailles Frontales. J'avais beaucoup d'autres chats à fouetter. Je vous le rends donc, mais qu'on ne vous y reprenne plus.

— À quoi ? demande Gontran. À posséder un sac à main ?

— À la prochaine, monsieur Lazare, lance madame Gagnon en souriant.

Et bras dessus, bras dessous, un à l'envers, deux à l'endroit, la petite famille trottine hors de l'hôpital.

Six minutes plus tard, ils sont tous les trois devant le garage. Il faut dire que pour aller plus vite, ils ont pris un taxi. Se promener en ville en reculant attire un peu trop l'attention, sans compter que monter à l'envers dans un autobus, n'est pas un exercice facile.

Tout le temps qu'a roulé le taxi, monsieur Gagné a gardé le dos collé au dossier de la banquette, comme si la voiture fonçait à fond de train. Peut-être que progresser si vite par en avant pour quelqu'un qui vit à reculons donne un peu le vertige.

Dès qu'il passe la porte du garage, monsieur Gagné commence à s'agiter. Il recule, il gesticule et ne cesse de lancer des phrases complètement incohérentes.

Gontran voit bien que son père fait des efforts considérables pour leur dire quelque chose. Mais le sens de ses paroles lui échappe.

— Tu reconnais ce laboratoire ? demande madame Gagnon à son mari.

La tête de son époux s'immobilise. Il fronce les sourcils. On dirait qu'il va répondre, mais les mouvements désordonnés de son corps reprennent rapidement le dessus.

Gontran attrape l'appareil qu'il a trouvé la veille et le tend à son père.

— Et ça ? Tu sais comment ça marche ?

Monsieur Gagné pousse un cri rauque.

Le garçon et sa mère échangent un regard. Il apparaît clair pour tous les deux que cet instrument est crucial. Encore plus que la machine à rêver. L'appareil que Gontran tient dans ses mains est au cœur du problème. C'est la clé, l'unique clé capable de libérer son père de la démence où il est enfermé.

Monsieur Gagné recule jusqu'à la voiture et s'installe au volant.

— Regarde, maman, on dirait qu'il veut qu'on y aille ! s'écrie Gontran.

— Il faut aller chercher de l'essence, rétorque aussitôt madame Gagnon.

Elle se dirige d'un pas décidé vers la voiture, ouvre le coffre et, après quelques secondes de fouille intensive parmi tout un tas d'objets hétéroclites, elle finit par retrouver ce qu'elle cherche : un bidon vide. Elle se tourne vers Gontran :

— Rappelle-moi de faire le ménage de cette voiture. C'est une vraie poubelle.

Elle lui tend le bidon et un billet de vingt dollars.

— Il y a une station d'essence deux rues à l'est du boulevard Marcel-Maurice. Pendant que tu es parti, je vais tenter de comprendre le fonctionnement de cette machine.

Gontran part au triple galop. Son cœur bat à toute vitesse. Et pas seulement parce qu'il court. Il n'a aucune idée de ce que l'avenir lui réserve. Est-ce que la machine va marcher ? Vont-ils voyager dans le temps pour de vrai ? Ça lui paraît incroyable. Pourtant, sa mère, une physicienne réputée, pense que c'est possible de se déplacer dans la 4e dimension. Mais où vont-ils se retrouver ? Reviendront-ils sains et saufs ? Ou tout détraqués comme son père ?

Gontran doit arrêter de se poser des questions et se concentrer un peu s'il veut traverser le boulevard sans se faire écraser par un camion.

20

PROMENADE FAMILIALE DANS LA 4e DIMENSION

Quand il revient, tout essoufflé de sa course, Gontran a l'impression que le temps s'est arrêté dans le garage pendant son absence. Son père est encore au volant de la voiture et sa mère est toujours accroupie par terre, penchée sur l'appareil, exactement comme lorsqu'il est parti.

—J'ai l'essence ! annonce Gontran pour tirer sa mère de sa contemplation de l'appareil.

Madame Gagnon secoue la tête.

— Je ne sais toujours pas exactement comment fonctionne cette satanée machine ! gémit-elle.

Elle se relève et époussette un peu son pantalon, l'air songeur.

— Je crois que ce n'est pas très raisonnable de faire des essais sans savoir où tout ça va nous mener.

Elle s'approche de Gontran avec une moue qui laisse croire au garçon qu'elle n'a pas l'intention de tenter l'expérience.

— Merci, mon poussin, dit-elle en lui enlevant le bidon d'essence des mains.

Elle se dirige vers la voiture et, tout en versant le contenu dans le réservoir, elle continue :

— On ignore les conséquences du voyage dans le temps sur le cerveau des humains. Et d'après ce qu'on peut constater sur celui de ton père, les risques sont grands…

— Mais c'est peut-être juste parce qu'il est tombé en panne d'essence pendant le trajet ? suggère Gontran.

— C'est possible, admet madame Gagnon après avoir déposé son bidon par terre. Mais peut-être pas non plus. Il serait peut-être devenu… euh… comme ça, malgré tout. Nous n'avons aucun moyen de le savoir.

— On ne va pas essayer, alors ? demande Gontran.

Le garçon est déçu. Il se voyait déjà propulsé dans l'espace-temps, sauvant son père de la folie. Son rêve de retourner à une vie normale, toute la famille enfin de nouveau réunie, s'enfuit à toutes jambes. Et il ne peut rien faire pour le retenir.

— On ne peut quand même pas laisser papa comme ça ! tente-t-il de plaider.

— Tu as raison, lui accorde madame Gagnon, en lançant l'appareil dans la voiture par la fenêtre ouverte.

Gontran respire mieux.

— C'est pourquoi je vais tenter l'expérience, continue-t-elle.

— Quoi ? Tu veux dire, sans moi ? s'exclame le garçon, offusqué.

Madame Gagnon ouvre la portière du côté passager et entreprend de tirer son mari vers le siège de droite.

— Comprends-moi, mon poussin. On ne peut pas prendre la chance de partir tous. Je ne veux pas risquer ta vie et ta santé mentale. Tu es jeune. Je n'ai pas le droit de te faire ça, conclut-elle une fois que monsieur Gagné est installé sur le siège du passager.

Gontran court derrière elle tandis qu'elle fait le tour de la voiture pour aller s'installer au volant.

—Mais maman ! Tu ne vas quand même pas me laisser seul ici ! Et si vous ne reveniez jamais ?

—Tu préviendras les autorités. Avec un peu de chance, nos collègues du Groenland vont réussir à nous localiser. Peut-être même à venir nous chercher.

—Peut-être !!!!!???? Mais je ne veux pas rester ici tout seul ! Même pendant cinq minutes !

Le menton de madame Gagnon se met à trembloter.

—C'est pour ton bien, mon poussin, parvient-elle à articuler malgré l'émotion qui la submerge. C'est la seule solution qui existe pour t'éviter tout risque.

—Mon bien, c'est de rester avec vous ! hurle Gontran. Je m'en fous de devenir fou, si c'est avec vous !

Les yeux de madame Gagnon font un tour sur eux-mêmes. Mais ce n'est pas tant à cause du mot « fou » que parce qu'ils sont remplis de larmes et qu'elle veut éviter à tout prix de les faire couler.

—C'est la danse des canards… commence-t-elle, avec une voix étranglée.

—Maman ! Je t'en supplie !

— Qui barbote dans la mare… continue-t-elle en s'assoyant derrière le volant.

Elle ouvre la fenêtre.

— Je vais revenir, mon poussin. Je te le promets. Je t'aime trop pour t'abandonner.

Puis elle démarre.

Affolé, Gontran plonge dans la voiture. Son corps passe par la fenêtre arrière au moment même où le bruit de la scie ronde en folie se fait entendre et que l'éblouissante lumière blanche l'aveugle. Gontran aperçoit la porte qui se referme derrière eux.

Ensuite, c'est le trou noir.

21

BIENVENUE AILLEURS

Quand Gontran reprend ses esprits, la voiture est stationnée devant une maison au bord de l'eau et il a très mal au ventre. Il faut dire qu'il a fait tout le trajet en travers de la fenêtre de la voiture, la moitié supérieure du corps à l'intérieur de l'habitacle, les jambes pendant à l'extérieur.

— Ça va, maman ? demande le garçon, le souffle coupé par sa position inconfortable.

Madame Gagnon pousse un hurlement de film d'horreur.

— Qu'est-ce que tu fais là ? parvient-elle à dire après s'être tapotée la poitrine pour calmer son cœur.

— Eh ben, je…

Mais Gontran ne poursuit pas sa phrase. C'est un peu ridicule d'avoir une conversation, plié en deux sur une fenêtre de voiture.

Il se laisse donc glisser à l'extérieur en poussant un soupir de soulagement. Son ventre le fait souffrir comme si un rouleau compresseur s'était promené sur son estomac. Il prend deux ou trois bonnes inspirations avant d'ouvrir la portière de sa mère, qui semble figée sur place.

— Comment va papa ? demande le garçon.

Au son de sa voix, monsieur Gagné tourne la tête vers son fils et marmonne une de ses légendaires suites de sons incompréhensibles.

Gontran et sa mère se regardent :

— Pas tellement mieux, on dirait, s'exclament-ils en chœur.

Pendant que madame Gagnon, encore un peu sonnée, s'extirpe de la voiture, le garçon observe le paysage autour de lui. Contrairement à ce qu'il imaginait, ils n'ont pas été parachutés dans un monde si différent de celui qu'ils viennent de quitter. Les maisons, sur la rue, ressemblent beaucoup à celles qu'il connaît, mis à part le revêtement métallique de certaines d'entre elles. C'est sûrement une espèce de plaques de capteurs solaires, pense le garçon. On doit avoir voyagé dans le futur. Un futur pas si éloigné.

Cette impression est confirmée par les voitures stationnées à côté de la leur. Leur forme arrondie leur donne l'apparence de minisoucoupe volante. Gontran aimerait bien en faire l'essai.

— Je me demande où on est, murmure madame Gagnon, venue se poster à côté de son fils. Et à quel moment on est.

Elle laisse son regard se promener tout autour. Soudain, elle saisit le poignet de Gontran.

— Regarde le panneau lumineux.

— Où ça ?

— Au coin, celui qui indique le nom de la rue.

— Rue du Triangle, lit le garçon.

Il se tourne vers sa mère.

— Tu crois qu'on est sur l'île d'Ailleurs ?

— J'en ai bien l'impression. C'est merveilleux. On va sûrement trouver quelqu'un ici qui pourra nous aider. Viens, on va aller chercher ton père.

Mais monsieur Gagné n'est plus dans la voiture. Il en est sorti et recule maintenant vers le bout de la rue.

— Mais où va-t-il ? demande madame Gagnon. Attends-nous, chéri, on vient avec toi !

Une fois qu'ils ont rattrapé monsieur Gagné, Gontran et sa mère le prennent, chacun par un bras, et l'accompagnent dans sa petite promenade à l'envers.

— Penses-tu qu'il sait où il va ? demande Gontran.

— Aucune idée, souffle sa mère.

— Comment ça se fait qu'il a perdu la boule et pas nous ?

Madame Gagnon réfléchit un peu, avant de répondre :

— Veux-tu connaître mon hypothèse, mon poussin ?

Gontran n'a pas le temps de hocher la tête que sa mère poursuit :

— C'est en essayant de retourner à notre époque qu'il a eu des problèmes. Il a dû tomber en panne d'essence pendant le trajet de retour et son cerveau est demeuré en mode reculons, parce qu'il n'a pas achevé tout le parcours jusqu'à son point de départ.

Gontran fait quelques pas en silence.

— C'est tout à fait logique. Alors, quand il parle, il parle à l'envers ? C'est pour ça qu'on ne le comprend pas ?

— Je crois bien que c'est ça. Je crois même qu'il continue à reculer dans le temps.

— Qu'est-ce que tu veux dire ?

— Il rajeunit, littéralement. Regarde. Je suis sûre qu'il a moins de cheveux blancs. Et il avait de petites rides, ici, il n'y pas si longtemps, fait madame Gagnon.

— Mais pourquoi est-ce qu'il n'essaie pas de nous le dire ? demande Gontran. De l'écrire par exemple ? On serait capable de lire à l'envers.

— Parce que son cerveau fonctionne à l'envers de notre temps, lui aussi Il ne doit pas être capable de penser normalement. À mon avis, ses idées sont aussi embrouillées que sa façon de parler. Elles lui échappent à mesure qu'il essaie de les attraper.

Gontran repense aux yeux de son père qui s'allument quand ils arrivent pour le visiter dans sa chambre et à la façon dont cette lueur s'éteint au bout de quelques secondes. Sa mère a sûrement raison. Cette hypothèse tient la route.

— Et comment on va faire pour le soigner ? demande-t-il.

— Eh bien, on va essayer de lui faire terminer son retour. C'est la seule solution que je vois pour l'instant. Même que...

Madame Gagnon jette un regard autour d'elle.

— On devrait peut-être y aller tout de suite. Je ne sais pas si j'ai vraiment envie de rencontrer la famille de cette fameuse... de cette... amie... de cette amou... enfin, cette quoi que ce soit... de ton père.

Madame Gagnon cligne des yeux, se mord une lèvre, puis l'autre. Elle grimace tellement que le garçon réalise à quel point le seul fait d'y penser lui fait de la peine.

C'est en silence que Gontran et sa mère font faire demi-tour à monsieur Gagné pour le ramener à la voiture. Mais une surprise les y attend.

Trois enfants sont assis dans l'auto. Ils rigolent en appuyant sur tous les boutons qu'ils trouvent. L'un d'eux a mis le lecteur de CD en marche. Il joue un morceau de rock endiablé. Le volume est au maximum. On entend à peine les voix des enfants qui doivent crier pour se parler.

— Regarde ça, ça fait démarrer les bâtons qui dansent dans les vitres ! hurle l'un.

— Il paraît que c'est pour chasser les gouttes de pluie, aboie le deuxième.

— Ils n'avaient pas de champ magnétique pour repousser l'eau, au siècle dernier ? s'écrie le troisième.

— Eh non, ricane le premier.

« On a donc changé de siècle... » pense Gontran en entendant cela.

Il passe la main par la fenêtre ouverte et tape sur l'épaule du garçon assis derrière le volant. Celui-ci, occupé à jouer avec le bouton qui allume les phares, tourne la tête et pousse un cri. Exactement le même cri qu'émet Gontran, au même moment, quand il aperçoit le visage de ce jeune conducteur du futur.

Même madame Gagnon, debout derrière Gontran, a l'air stupéfait. Tout comme les deux autres garçons dans la voiture, d'ailleurs.

Mis à part la coupe de cheveux et les vêtements, le jeune homme assis derrière le volant ressemble trait pour trait à Gontran. Les mêmes yeux, le même nez, les mêmes oreilles un peu décollées.

Les deux sosies se dévisagent de longues secondes pendant que, dans les haut-parleurs, la guitare électrique se lance dans un long solo. Les autres garçons sont bouche bée.

Madame Gagnon se tourne vers son mari, furieuse :

— Parce qu'en plus, Isabella et toi vous avez eu un enfant !

Pour toute réponse, monsieur Gagné, l'air affolé, émet des mots sans queue ni tête.

— Je ne sais pas ce qui me retient de te laisser là ! continue madame Gagnon. D'ailleurs, je crois bien que c'est ce que je vais faire.

Elle ouvre la portière et fait signe aux enfants de sortir de la voiture. Ils obéissent en silence.

— Et si on était dans le monde parallèle dont tu m'as parlé, maman ? finit par dire Gontran sans quitter son sosie des yeux. C'est peut-être mon moi parallèle. Et sa mère serait ton toi parallèle.

Madame Gagnon hausse les épaules en s'assoyant dans la voiture.

— Ça m'étonnerait ! La machine de ton père est un brise-temps, pas un perce-espace ! Non, je dois faire face à la réalité, ton père avait une maîtresse dans le futur et ils ont eu un enfant ensemble. C'en est trop ! Je rentre à la maison !

Là-dessus, elle claque la portière et arrête la musique d'un geste brusque.

Elle est tellement furieuse que ses narines se contractent.

— Vous venez du passé ? demande timidement le sosie.

Gontran fait signe que oui, même s'il n'en sait trop rien.

— Pourquoi pépé Gontran parle comme ça, maintenant ? Et d'ailleurs, pourquoi est-ce qu'il marche à reculons ?

Gontran se retourne. Son père, dans son désarroi, est reparti dans sa petite promenade à l'envers.

Gontran court pour le rattraper, suivi de très près par son sosie.

— Comment ça, pépé Gontran ? Mon père n'est pas si vieux !

— C'est ton père ? demande le sosie.

— Oui, pas le tien ? répond Gontran.

— Mais non, c'est l'arrière-arrière-grand-père de ma grand-mère Isabella. Il est venu la visiter quelquefois avec son étrange voiture, l'année passée, ajoute le sosie, en montrant du doigt la vieille bagnole de la famille Gagnon-Gagné.

— Isabella, c'est ta grand-mère ? demande Gontran.

Le garçon du futur baisse les yeux.

— Oui... ben, je veux dire, c'était ma grand-mère. Vu qu'elle est morte le mois dernier. C'est dommage, elle était très gentille. En plus, elle inventait plein de trucs rigolos.

Le cerveau de Gontran roule à toute vitesse. Il a de la difficulté à croire ce qu'il entend.

— Ça veut dire que tu es mon... arrière-arrière-arrière-petit-fils ?

— Hein ? fait le sosie du futur, qui peine à suivre le raisonnement.

— C'est pour ça que tu me ressembles autant ! Je viens du XXIe siècle. Je suis l'arrière-grand-père de ta grand-mère, lui explique Gontran.

— Ça alors ! s'écrie le sosie. Enchanté, je m'appelle Gontran.

— Moi aussi, répond Gontran.

— Le 14e du nom.

— Et moi le 9e.

Les deux garçons se serrent la main, mais ils sont dérangés dans leurs présentations par un coup de klaxon de madame Gagnon qui s'impatiente.

— Tu viens, mon poussin ? crie-t-elle, en passant la tête par la fenêtre.

Gontran numéro 9 court rejoindre sa mère.

— Maman, ce n'est pas le fils de papa. C'est son...

Il compte sur ses doigts pour s'aider.

Son arrière-arrière-arrière-arrière-petit-fils. C'est le petit-fils d'Isabella, qui, elle, était l'arrière-arrière…

Mais madame Gagnon ne le laisse pas terminer. Un sourire vient d'apparaître sur son visage. Elle sort en trombe de la voiture, se précipite sur son mari et le prend dans ses bras.

— Mon amour ! Je suis si heureuse ! Excuse-moi d'avoir douté de toi. Je suis impardonnable ! J'aurais dû te faire confiance.

Malgré son cerveau qui fonctionne à l'envers, monsieur Gagné a l'air ravi du revirement d'humeur de sa femme. Il sourit sous l'avalanche de baisers.

— Mais pourquoi me l'as-tu caché ? Pourquoi ? Hein ? Pourquoi ?

Elle le prend par la main et le tire vers la voiture.

— Viens ! Il est grand temps qu'on ait une explication tous les deux.

Madame Gagnon se retourne vers son fils.

— Allez, mon poussin, dis au revoir à ta descendance et monte derrière. Il faut qu'on file. J'ai trop hâte de comprendre ce qui s'est passé et comment ton père a fait pour venir jusqu'ici.

Elle installe monsieur Gagné sur le siège passager, puis fait le tour de l'auto pour prendre sa place derrière le volant.

— Au revoir, les enfants ! dit-elle en les saluant de la main. Et merci pour tout !

— Elle t'appelle toujours « poussin » ? demande le Gontran de l'avenir.

Gontran opine, un peu gêné.

— Ma mère aussi. C'est terrible. Je ne peux pas croire que ça va se perpétuer encore sur plusieurs générations.

Il lui tend la main.

— Mes condoléances.

— Toi aussi.

— Tu vas revenir ?

— Je ne sais pas, répond Gontran IX. Sûrement. Maintenant qu'on a la machine et qu'on arrive à la faire fonctionner. En tout cas, j'espère.

Il se tourne vers les amis de Gontran XIV.

— Salut les gars ! À un de ces jours, peut-être. Puis il monte dans la voiture.

Madame Gagnon lui fait un petit signe dans le rétroviseur, avant de tourner la clé de contact.

— Pourvu que le retour le guérisse, murmure-t-elle en fermant les yeux.

22

DANGEREUSE CHUTE DE PRESSION

Le bruit de scie ronde déchaînée fend les oreilles des membres de la petite famille Gagnon-Gagné, tandis que leurs yeux clignent à cause de l'éblouissante lumière qui les aveugle à travers le pare-brise.

« La machine fonctionne, mais il reste encore quelques petits détails à régler, côté confort du passager », pense madame Gagnon.

Puis elle réalise qu'elle est en train de penser. Le fait d'être capable de réfléchir peut paraître normal pour la plupart des gens, mais comme le transport a été instantané à l'aller, la physicienne se demande pourquoi c'est différent au retour. Normalement, les atomes doivent se décomposer pour se recomposer à la vitesse de la lumière. On n'a donc pas vraiment le temps de se poser des dizaines de questions. Les pensées de madame Gagnon continuent de trottiner dans sa tête, aggravant son doute, de seconde en seconde. Comment peut-on prendre du temps pour voyager dans le temps ?

Elle veut jeter un œil par la fenêtre de la voiture, mais il n'y a plus de fenêtre. Autour d'elle, tout est maintenant gris. Uniformément gris et terne. Elle sent quelque chose qui s'agrippe à son pied. En plissant les yeux, elle parvient à apercevoir son fils, qui tente désespérément de s'accrocher à quelque chose. Mais où donc est son mari ? Elle étend le bras dans l'espoir de le rattraper dans l'espace vide, lorsqu'une brusque secousse la cloue à son siège.

Tiens, la banquette de la voiture est revenue et monsieur Gagné, les yeux exorbités, se tient à deux mains au tableau de bord.

— Qu'est-ce qui se passe, maman ? demande Gontran.

— J'ai bien peur de n'en avoir aucune idée, répond madame Gagnon.

— C'est le régulateur de pression du désintégrateur de matière qui est en chute libre, il faut le remettre à niveau, annonce monsieur Gagné, d'une voix angoissée.

— GONTRAN ! hurle madame Gagnon.

Gontran père et fils sursautent dans un bel ensemble.

— Tu n'es plus... Tu es... Tu... Tu parles normalement !!!! continue madame Gagnon.

— Bien sûr ! Comment veux-tu que je parle ? demande monsieur Gagné, étonné.

Il se frotte les yeux.

— J'ai dû m'endormir parce que j'ai fait un rêve vraiment étrange.

Il a l'air de se creuser la tête pour reconstituer les pièces du puzzle mais, pour l'instant, les morceaux sont trop épars pour qu'il puisse en faire quoi que ce soit de logique. Il regarde par la fenêtre et son visage se fige.

— Où est-ce qu'on est, là ?

— Quelque part entre le siècle prochain et le nôtre, répond madame Gagnon.

— Ce n'est pas possible. D'abord, parce qu'il n'est pas supposé y avoir de temps qui s'écoule dans le passage entre les deux.

— C'est bien ce que je pensais, réplique madame Gagnon, en se mordant un doigt.

— Ensuite, qu'est-ce que vous faites dans la voiture avec moi ?

— C'est un peu long à expliquer, mon chéri. Dis-moi plutôt où se trouve le régulateur de pression qu'on arrête de jouer aux montagnes russes dans le vide.

— C'est le troisième bouton à gauche sur la...

Au moment où monsieur Gagné va finir sa phrase, une nouvelle secousse ébranle la voiture. Madame Gagnon essaie de s'agripper à ses deux Gontran, mais tout ce qu'elle réussit à attraper, c'est la chaussure de son fils et les lunettes de son mari.

— Gontran ? gémit-elle, en secouant les objets.

Personne ne lui répond. Elle tournoie dans le vide en essayant de comprendre où sont le haut et le bas.

Gontran, lui, a eu le temps de s'accrocher à la chemise de son père. Il cherche sa mère dans l'espace gris qui l'entoure quand... Boum !

Les voilà de retour dans la voiture. Cette fois, c'est le garçon qui est au volant. Son père a retrouvé sa place sur le siège passager et madame Gagnon est étendue de tout son long sur la banquette arrière.

— Tu crois que tu peux régler ça ? demande-t-elle en tendant les lunettes à son mari. Je ne suis pas sûre que mon déjeuner puisse supporter une autre chute comme celle-là.

Monsieur Gagné regarde autour de lui.

— Est-ce que, par hasard, vous auriez vu une espèce d'appareil avec des leviers et des boutons ?

— Je ne sais pas si c'est celui que tu cherches, répond Gontran, mais j'en ai trouvé un dans le garage. Maman l'a mis dans la voiture avant de partir.

— Dans le garage ? s'écrie son père, étonné. Et où est-il maintenant ?

Les trois têtes se mettent à tourner de tous les côtés à la recherche de l'appareil. Madame Gagnon, toujours allongée derrière, plonge vers le sol pour regarder sous les sièges. Monsieur Gagné jette un œil dans la boîte à gants, même s'il semble impossible qu'il y soit caché.

— Oh ! Oh ! lâche monsieur Gagné.

C'est un « Oh ! Oh ! » qui ne dit rien qui vaille à Gontran.

— Il y a un problème ? demande le garçon, inquiet.

— L'appareil a dû se mettre en mode boomerang à cause de la secousse.

— En mode boomerang ? s'exclame madame Gagnon.

— Oui, je l'ai programmé pour qu'il retourne au garage si quelque chose se passait mal. Je me suis dit que toi ou quelqu'un d'autre le retrouverait peut-être et que…

Le visage de madame Gagnon blêmit.

— Est-ce que ça veut dire que… Ahhhhh !

Cette fois, elle a le temps d'agripper la cheville de son mari, qui lui, attrape au passage une oreille de son fils.

— Aïe ! s'écrie le garçon.

— Ça va continuer longtemps comme ça ? demande madame Gagnon, en ravalant son mal de cœur.

— Si la pression est tombée et que personne ne la rétablit, nous ne pourrons plus nous déplacer dans le temps. C'est comme si nous flottions entre deux époques.

— Mais où va la voiture ? demande Gontran.

—À mon avis, elle fait des allers-retours entre notre époque et celle d'Isabella, mais comme la pression du désintégrateur de matière est insuffisante pour effectuer le transfert complètement, elle rebondit de l'une à l'autre.

—Pourquoi elle voyage et pas nous ?

—Parce que la structure moléculaire des matières comme le métal et le plastique est moins complexe que celle des êtres vivants. Elle se décompose plus facilement… Si la machine ne réussit pas à ramener la voiture, j'ai bien peur qu'elle ne puisse pas nous déplacer non plus.

Madame Gagnon a les yeux sortis de la tête quand elle s'écrie :

—Ça veut dire que ça peut durer…

Bang ! Les voilà tous les trois pêle-mêle sur la banquette arrière de la voiture.

—Combien de temps disais-tu que ça peut continuer ainsi ? demande Gontran en frottant son oreille encore endolorie.

C'est, les lunettes de travers et la mine sombre, que monsieur Gagné lâche le mot fatidique :

—Éternellement.

—Et si l'appareil était dans le coffre ? demande Gontran au bout d'un très long moment de silence angoissant.

— Ça ne coûte rien de jeter un œil, murmure son père, sans grand enthousiasme.

Madame Gagnon regarde son mari d'un air affolé.

— On ne va pas être obligés de sortir de la voiture ?

Son mari la rassure :

— Ce n'est pas nécessaire, le dossier de la banquette peut s'abaisser de l'intérieur.

Il jette un œil à sa femme et à son fils.

— Ça serait évidemment plus pratique si on n'y était pas assis dessus tous les trois.

— Retournez sur les sièges avant, je vais y aller, moi, dit Gontran.

Monsieur et madame Gagnon entreprennent donc la tâche légèrement acrobatique de passer devant en enjambant les dossiers. Madame Gagnon est à plat ventre sur celui du chauffeur, un genou sur la tête de son mari lorsque... Bang ! Ils sont de nouveau projetés dans le vide. Ils ont à peine le temps de reprendre leur souffle que Boum ! Ils sont de retour dans la voiture. Monsieur et madame Gagnon sont assis l'un sur l'autre sur le siège passager et Gontran est à genoux sur le sol, à l'arrière de la voiture.

Pendant que ses parents essaient de démêler leurs membres, le garçon s'empresse de baisser le dossier et de passer sa tête dans le coffre.

Il y fait tellement noir qu'il ne voit pas bien. En rampant, il s'engouffre dans le minuscule espace encombré d'objets.

— Tu vois quelque chose, mon poussin ? demande sa mère, maintenant de retour à la place du chauffeur.

— Je viens de retrouver ma chaussure ! s'écrie Gontran, qui n'avait même pas remarqué qu'il en avait perdu une.

— Et l'appareil ? s'enquiert son père.

— Je ne le vois…

Mais Gontran n'a pas la chance de mettre le point final à sa phrase. Un horrible bruit de scie ronde couvre le dernier mot. Par les minces interstices du coffre, le garçon aperçoit l'éclatante lumière blanche. Puis, plus rien.

23

SAMUEL, CE HÉROS

Quand il reprend conscience, Gontran est dans l'obscurité totale. Il ne comprend pas trop où il se trouve.

— Maman ? Papa ? murmure-t-il.

Il entend des portières qui claquent et la voix de sa mère qui hurle à plein poumons :

— GONTRAN ! Où est-il ? Où est-il ?

Le garçon a l'impression qu'elle vient de faire douze fois le tour de l'auto en courant. Le tout sans cesser de hurler :

— GONTRAN ! On l'a perdu ! On l'a perdu ! Je le savais qu'il ne fallait pas l'emmener dans cette satanée machine.

Monsieur Gagné essaie de calmer sa femme, mais la tâche n'est pas facile.

— On va le retrouver, ma chérie, je te le promets !

Profitant d'une des rares secondes de silence de sa mère, Gontran cogne contre la paroi intérieure du coffre.

— Maman ! Papa ! Je suis là !

— Gontran !!!! s'écrie de nouveau madame Gagnon, avec un remarquable trémolo dans la voix.

Un instant plus tard, la porte du coffre s'ouvre et Gontran, tout sourire, apparaît, sa chaussure à la main.

— Est-ce qu'on est rentrés chez nous ?

Ce n'est qu'à ce moment que ses parents se posent la question eux-mêmes. Ils jettent un regard autour d'eux. Eh oui. Ils sont bien dans le garage d'autobus. À quelle époque ? C'est dur à dire, mais tout semble en place comme le jour de leur départ.

— C'est vraiment fort, votre truc… dit alors une voix derrière eux. Pouf ! une voiture ! Paf ! Plus de voiture !

Samuel s'avance en leur tendant la main.

—Content de vous revoir, monsieur Gontran.

—Ah ! Mon brave Samuel ! Vous êtes encore là ?

Les deux hommes se serrent la main, pendant que Gontran fils saute hors du coffre.

—Ça va, madame Gagnon ? Il me semble que vous êtes un peu décoiffée…

La physicienne replace quelques mèches.

—Vous ne vous êtes pas regardé ! fait-elle, vexée.

—Oui, mais moi, c'est normal. Je suis toujours comme ça. Alors que vous… vous êtes une vraie couverture de magazine en temps normal…

Madame Gagnon rosit sous le compliment. Un peu plus, elle se mettrait à ronronner.

—D'ailleurs, j'ai failli être encore plus décoiffé, dit Samuel. Il y a ce foutu machin qui m'est pratiquement tombé sur la tête.

L'itinérant pointe l'appareil, renversé dans un coin.

—Je m'étais approché pour voir de plus près votre numéro d'apparition et de disparition de la voiture, quand Boum ! J'ai reçu votre machin sur la tête. Vous m'excuserez si votre truc est un peu amoché. Sur le coup, j'étais tellement furieux que je lui ai donné un coup de pied.

Il tire une manette de sa poche.

— Et il y a ce petit levier qui s'est arraché... Désolé...

Monsieur Gagné se penche sur l'objet pour l'observer de plus près.

— C'est le régulateur de pression, dit-il au bout d'un petit moment. En l'arrachant, vous avez neutralisé le désintégrateur de matière.

— Ouais, c'est ce que je me disais, dit le barbu, avec un clin d'œil à Gontran. Un régulation de presseur du désintégratière, évidemment. Euh... Et, ça fait quoi, ça, dans la vie ?

— Ça rééquilibre le niveau de pression magnétique dans le champ électrostatique de la matière.

— Ah bon... fait Samuel, le front barré de six plis d'incompréhension. Et c'est grave si je l'ai cassé ?

Monsieur Gagné prend un air solennel. Il penche la tête et avance en silence vers le sans-abri. Il le saisit par les épaules et le serre contre lui.

— Samuel, dit-il lentement, grâce à ce geste, vous nous avez sauvé la vie.

Une heure plus tard, ils sont assis tous les quatre devant une assiette de pâtes bien chaudes dans la cuisine familiale. Avant de s'attabler, monsieur Gagné a téléphoné à l'hôpital pour leur annoncer son brusque et total rétablissement. Il a promis de passer le lendemain pour signer les papiers et procéder à certains tests, mais il n'a cependant pas encore décidé s'il raconterait toute l'histoire de la machine à voyager dans le temps. Pour être honnête, il craint que les médecins ne croient pas son histoire et s'imaginent que sa santé mentale est encore trop précaire pour le laisser en liberté. Gontran lui avait donné raison. Après tout, le docteur Lebel n'a jamais voulu croire à l'efficacité de la machine à rêver, alors qu'elle fonctionne très bien. Lui raconter qu'ils ont voyagé dans le temps à bord d'une vieille voiture installée dans un garage d'autobus abandonné n'est pas très prudent. De toute façon, monsieur Gagné préfère que ses recherches demeurent confidentielles pour le moment. C'est en trinquant que les quatre joyeux lurons promettent tous de garder le secret sur l'étonnante machine.

À la fin de la soirée, madame Gagnon propose à Samuel de dormir dans la chambre d'amis, mais l'itinérant refuse.

—Je vais rentrer au garage en marchant tranquillement. Ça va me faire digérer.

—Vous êtes sûr ? insiste monsieur Gagné.

—Certain ! On dort toujours mieux chez soi, déclare le barbu avant de serrer la main de ses nouveaux amis. Mais, merci quand même. Et passez me voir quand vous voulez !

Une fois la porte refermée sur l'itinérant, monsieur Gagné secoue la tête en souriant.

—Ah, ce Samuel ! Quel personnage tout de même... J'imagine que c'est en allant au garage que vous avez fait sa connaissance ?

—Non, c'est en sortant du bureau de poste, répond madame Gagnon.

Elle s'apprête à raconter l'anecdote quand elle s'arrête et regarde son fils.

Gontran vient de penser à la même chose, au même moment. C'est lui qui pose la question :

—Pourquoi le code postal était inversé si le paquet venait du futur et non d'un monde parallèle ?

— Quel code postal ? s'étonne monsieur Gagné. De quoi vous parlez ?

— Celui qui était sur l'adresse de retour du paquet contenant la machine à rêver, répond madame Gagnon.

Monsieur Gagné est doublement étonné.

— Ce paquet est arrivé par la poste ? La poste... normale ?

— Eh bien... commence madame Gagnon. Oui, je pense que oui. Le facteur avait l'air assez normal... d'après ce que j'ai pu apercevoir de la garde-robe.

— Qu'est-ce que tu faisais dans la garde-robe ? demande monsieur Gagné qui, décidément, va de surprise en surprise.

— Est-ce qu'on peut répondre à une question à la fois ? coupe son épouse. Mon poussin, réponds, tu l'as vu mieux que moi : est-ce que le facteur était normal ?

Gontran réfléchit. En y pensant bien, peut-être que son costume n'était pas tout à fait le même que ceux des facteurs qui distribuent le courrier d'habitude. Le garçon se rappelle avoir pensé que l'uniforme était assez futuriste pour un employé des postes. Et le truc électronique sur lequel il a signé son nom à la réception du paquet n'avait vraiment rien à voir avec les feuilles écornées que sa mère paraphe quand elle reçoit ses magazines scientifiques.

— Je ne pourrais pas le jurer, mais c'est possible qu'il soit venu du futur, admet Gontran fils.

— J'irais jusqu'à dire d'un futur parallèle, ajoute madame Gagnon.

— Qu'est-ce que tu veux dire ? demande monsieur Gagné.

— Eh bien que ton brise-temps n'était pas très au point. Tu as dû te tromper dans tes calculs quelque part. Ton appareil est capable non seulement de voyager dans le temps, mais aussi d'aller dans des mondes parallèles. Des mondes assez perfectionnés pour avoir des bureaux de poste qui livrent n'importe où dans l'univers physique, quelle que soit la dimension spatio-temporelle.

— J'aurais créé un brise-temps-perce-espace… tout en un ? fait monsieur Gagné songeur.

— C'est mon impression, réplique madame Gagnon. Mais nous étudierons tout ça demain matin. Pour l'instant, il est assez tard. On a tous besoin d'une bonne nuit de sommeil.

24

UN DERNIER PETIT TOUR DE MACHINE

Gontran a enfilé son pyjama, il a brossé ses dents. Il est presque prêt à aller au lit. Il ne lui reste qu'une petite chose à faire : prendre un air suppliant pour demander à ses parents :

— Est-ce que je peux…

— Tu n'as pas eu ta dose d'émotions fortes pour la journée ! s'exclame sa mère.

Gontran sourit, piteux.

— Oui, mais… J'aimerais quand même savoir ce qui va arriver au prince Gontran et à son fidèle Magellan…

— Bon, d'accord, lui concède monsieur Gagné. On te laisse continuer ton rêve. Mais pas trop longtemps. Il y a de l'école demain, non ?

Gontran acquiesce. Les vacances approchent, mais pas encore assez vite à son goût. Il reste encore deux grosses semaines de classe. Et il y a tous les examens... Juste d'y penser, Gontran se sent déjà plus fatigué. Et même un peu déprimé.

Mais bon, pour l'instant, il va rejoindre ses amis de la Vallée du Gnome chauve. C'est ça qui compte.

Il prend le casque d'électrodes et le pose sur sa tête. Puis il s'installe bien confortablement au creux de ses draps.

— Je suis prêt ! lâche-t-il, après avoir coché « suite » sur le petit écran à l'aide du stylet.

Monsieur Gagné, la télécommande à la main, recule dans le corridor pour démarrer la machine. Madame Gagnon, elle, demeure au chevet de son fils pour lui donner un dernier baiser avant qu'il ne sombre dans le monde fantastique et menaçant des elfes et des sorciers.

— Bonne nuit, mon poussin. Sois prudent.

— Ce n'est qu'un rêve, maman.

La main de sa mère dans ses cheveux, Gontran sombre dans le sommeil.

Quelques instants plus tard, le feu est partout autour de lui. La pierre serrée contre sa poitrine, le prince Gontran regarde Magellan continuer son combat contre Humbaba. Le vil sorcier essaie toujours de lui arracher le sceptre dans l'espoir de mettre enfin son plan diabolique à exécution. Le prince voudrait bien intervenir, mais le feu est maintenant partout autour de lui. S'y jeter constituerait un véritable suicide. Il a bien la pierre de Carmack, mais elle n'ouvre qu'un étroit passage devant lui, et le temps qu'il se déplace d'un point à un autre du cimetière, l'homme-tigre et le sorcier sont déjà rendus à un autre bout.

Soudain, un éclair déchire la nuit. Magellan tente de le capter pour régénérer sa force, mais Humbaba aussi sait utiliser les éléments. Les mains tendues vers le ciel, il détourne l'électricité vers son propre corps qui s'illumine sous l'impact. Le prince peut voir le réseau de veines et d'artères apparaître en transparence sous la peau du sorcier. C'est alors qu'il entend de nouveau la voix.

— Psst ! Gontran !

Le prince se retourne. La stupéfaction lui coupe presque les jambes.

— Papa, qu'est-ce que tu fais là ? demande-t-il au roi Gontran qui vient d'apparaître derrière lui. Tu n'es pas mort ?

— J'étais simplement passé dans l'autre monde. Mais je t'expliquerai plus tard. Vite ! Dépêche-toi d'entrer dans la faille que je viens d'ouvrir.

— La faille ?

Gontran a beau ouvrir et fermer les yeux, il ne voit de faille nulle part.

— Là ! lui souffle son père, en guidant son fils dans un mince interstice où l'espace est juste un peu plus flou.

Le prince s'y engouffre et, après avoir traversé un bref instant d'obscurité, se retrouve dans un étrange bâtiment de briques. Il regarde autour de lui. Des tas de ferraille, des machines étranges. Un monstre fait de métal, monté sur quatre roues.

Il est à peine revenu de sa surprise que son père est à ses côtés.

— L'heure est grave, mon fils. J'aurais aimé te revoir en d'autres circonstances, mais le destin en a décidé autrement. Tu vas devoir être courageux. L'avenir de nos mondes est en péril et toi seul peut les sauver de leur perte.

Il tend au prince Gontran un petit rectangle de matière dure et noire, couvert de boutons.

— Cet objet est une clé de traverse, mon fils. Quand tu appuies sur ce point rouge, elle ouvre l'espace-temps. Elle te permettra de voyager de notre monde à celui des humains. Va. Prends-la et cours accomplir la tâche la plus importante de ta vie.

— Quelle est-elle, père ?

— Tu dois retourner dans la Vallée et en rapporter le sceptre de nos ancêtres. Nous le mettrons en sécurité dans cet étrange endroit. C'est le seul moyen d'anéantir le plan des frères du Mal. Humbaba est puissant, mais il est incapable de traverser.

— Mais son frère Carumi…

— Je me charge de lui. Allez, va, avant qu'il ne soit trop tard et que le monde ne soit plus que haine et désolation.

Le prince Gontran appuie sur le point rouge de sa clé de traverse pour ouvrir l'espace entre les mondes lorsque son père l'arrête. Il prend son fils dans ses bras, le serre contre lui.

— Va, mon fils. Va. Accomplis ton devoir au péril de ta vie et puisse le destin nous réunir un jour à nouveau.

Sur ces paroles, il disparaît après avoir fendu l'espace-temps de sa propre clé de traverse.

Le prince Gontran saisit alors fermement la sienne et ouvre le passage vers le cimetière de ses ancêtres.

Aussitôt qu'il est de retour dans son monde, Gontran constate avec désespoir que son fidèle allié est tombé aux mains du vil sorcier.

Allongé sur une dalle, l'homme-tigre gît, inconscient, dans une mare de sang. Son torse est blessé en plusieurs endroits. Autour de lui, les cris déchirants et les feulements rauques des âmes mortes s'élèvent dans l'air chargé de vapeurs ondulantes.

Humbaba a plongé le sceptre dans les flammes et le maintient au creux des braises. Ses épaules sont secouées d'un rire démoniaque. Il lève ses yeux de serpent vers le prince des elfes et continue à ricaner, dévoilant ses dents noires et acérées.

— Ton père t'a confié une mission, mon petit ? Ah ! Ah ! Quelle bonne blague ! Comme si tu étais capable de quoi que ce soit contre moi.

Le sorcier maléfique ricane, ricane, ricane. On dirait un âne pris de crampes.

Une fumée opaque monte peu à peu du sol. Elle se propage de plus en plus vite. Tellement que Gontran ne parvient même plus à voir les flammes. Tout devient flou autour de lui.

Entre deux nuages de fumée, le prince Gontran aperçoit le sorcier qui lève une main vers le ciel, puis l'abaisse lentement, son index crochu pointé vers le prince. Il s'apprête à lui lancer un sort, c'est certain. Il faut à tout prix que le jeune elfe évite le coup. Il saisit sa clé de traverse. Il veut appuyer sur le bouton, mais l'objet semble s'être évaporé dans sa main.

— Gontran ! crie une voix dans le brouillard aussi épais qu'une purée de pommes de terre. Mange tes pâtes ! Il faut que tu finisses ton assiette si tu veux aller à l'école demain.

Le prince sent qu'on l'attrape par les épaules. Il ne voit pas qui c'est. Est-ce le sorcier ? Un inconnu ? Son père ?

— Papa ! hurle Gontran, en se débattant. C'est toi, papa ?

Le garçon ouvre les yeux. Monsieur Gagné est assis sur le matelas, juste à côté de lui.

— Je suis là, fiston, je suis là. Calme-toi, dit-il doucement.

Le garçon regarde autour de lui. Même réveillé, il a l'impression de voir encore de la fumée. Il se frotte les yeux.

—Je rêve encore ou il y a vraiment de la fumée dans ma chambre ?

C'est l'alarme du détecteur de fumée qui répond à sa question.

Monsieur Gagné bondit vers la fenêtre pour l'ouvrir, tandis que madame Gagnon agite une serviette juste sous l'appareil pour le faire taire.

— C'est cette satanée machine à rêver, dit-elle, une fois que le bruit a cessé. Elle s'est mise à fumer tout d'un coup, j'ignore pourquoi. Et puis, ça s'est arrêté tout seul, regardez.

Gontran et son père s'approchent de la machine. C'est vrai, elle ne fume plus. Par contre, une petite fenêtre s'est allumée et clignote d'une lueur orangée.

—« Fin », lit le garçon. Comment « Fin » ? Mon rêve n'est pas terminé ! Je ne sais même pas si Magellan est encore en vie, si je vais réussir à arrêter Humbaba. Et si je vais revoir mon père un jour…

Madame Gagnon s'approche et lui caresse la tête.

—Il est là, ton père, mon poussin.

Mais Gontran se dégage.

— Je sais bien. Mais dans le rêve, il est parti s'occuper du frère de Humbaba. Il faut que je sache si on va réussir à empêcher le Mal de prendre possession des deux mondes ! Ce n'est pas possible ! L'histoire ne peut pas s'arrêter comme ça !

Monsieur Gagné saisit doucement son fils par le poignet et le ramène à son lit.

— Tu as raison, Gontran. L'histoire ne peut pas s'arrêter comme ça...

Le garçon respire mieux. Enfin une parole sensée dans cette maison ! Mais monsieur Gagné n'a pas terminé sa phrase.

— Tu vas devoir inventer la suite toi-même.

— Comment ? Moi ? Mais je ne pourrai jamais... Je ne suis pas une machine à rêver !

— Bien sûr que oui, répond son père. Tout le monde est une machine à rêver. Ce que tu as vu à l'aide de la machine provient de ton propre cerveau. L'appareil ne fait que t'aider à mettre les images en forme.

— Rêver en dormant, c'est juste une façon paresseuse de faire travailler son imagination, ajoute madame Gagnon. Mais il y a plein d'autres façons de le faire.

— Il est assez tard pour aujourd'hui. Tu as le temps. Tu as toute la vie devant toi.

Madame Gagnon borde son fils.

— Qu'on soit tous réunis, sains et saufs, c'est déjà merveilleux, tu ne trouves pas, mon poussin ?

Gontran doit admettre que sa mère marque un point. Il est tellement préoccupé par son rêve qu'il en oublie de mesurer la chance qu'il a d'être dans son lit avec tous ses morceaux.

— C'est bien joli, les mondes imaginaires. Mais la vraie vie, c'est pas mal non plus, tu sais, ajoute monsieur Gagné.

Gontran regarde son père et sa mère dont les silhouettes se découpent dans la lumière, à contre-jour. Ses parents ont raison. Il ne va pas commencer à s'en faire pour un rêve. Des rêves, il peut en faire autant qu'il veut. Mais la vie, il n'en a qu'une seule. Et s'il n'en profite pas pendant qu'il est vivant, personne ne le fera à sa place.

À NOUS DEUX MAINTENANT !

Une fois que Gontran est endormi, madame Gagnon referme doucement la porte de la chambre de son fils. Son sourire plein de tendresse fond aussi vite qu'un chocolat laissé au soleil. Elle se tourne vers son mari, les sourcils froncés, l'œil dur.

— Et maintenant, à nous deux, Gontran Gagné ! Je crois qu'il est grand temps que tu m'avoues tout.

— Avouer quoi ? fait monsieur Gagné,

un peu étonné du brusque revirement d'humeur de son épouse.

—Tu ne m'as toujours pas dit pourquoi tu me cachais tes recherches ! Ce n'est pas parce que je sais maintenant qu'Isabella avait 97 ans et qu'elle vivait dans un monde parallèle que je vais tout te pardonner ! Ne va pas croire que tu vas t'en tirer si facilement ! Me faire ça à moi ! Comment as-tu pu ?

Monsieur Gagné s'approche de sa femme et la prend dans ses bras.

—Ma chérie…

Madame Gagnon frappe la poitrine de son mari de ses deux poings.

—Je ne te le pardonnerai jamais ! Jamais !

Et bang ! Bang ! Elle continue son solo de boxe. Monsieur Gagné recule un peu pour éviter que ses pectoraux ne soient transformés en compote.

—Même si je te disais que j'essayais de trouver un passage dans le temps pour qu'on puisse revivre ensemble le jour de notre rencontre ?

—Le… le jour de notre rencontre ? balbutie madame Gagnon, en ralentissant la cadence de ses coups.

—Oui. C'est la surprise que je comptais t'offrir pour notre vingtième anniversaire de mariage. Un voyage dans le temps jusqu'aux noces de ta cousine où nous nous sommes rencontrés.

Les poings de madame Gagnon se détendent. Un sourire illumine son visage.

— C'était un cadeau pour notre vingtième anniversaire de mariage, se contente-t-elle de répéter, avec un air béat.

— Notre première rencontre était un moment tellement magique… Eh puis, je me disais qu'on aurait pu en profiter pour refaire les photos qui ont été détruites quand…

— Quand j'ai échappé l'appareil photo dans le bol de punch ? souffle madame Gagnon.

Monsieur Gagné sourit et enlace son épouse.

— Quoique, même sans photo, je garde un souvenir impérissable de ce moment, mon amour.

— Oh Gontran ! s'écrie madame Gagnon, pâmée. Tu es l'homme le plus merveilleusement romantique que j'aie jamais rencontré ! Je t'aime tellement...

Et, comme dans ses rêves les plus fous, son beau Gontran pose ses lèvres si douces sur les siennes. Et ce qui est merveilleux, c'est que, cette fois, personne ne la réveille avant la fin de leur long baiser.

Épilogue

Merci, ami humain, tu as été d'un grand secours pour notre peuple. Sans toi, nous n'aurions pas réussi à combattre Humbaba, dit le prince des elfes.

Gontran sourit, flatté.

– Ce n'est rien, prince.

– Je dois maintenant retourner chez moi, poursuit l'elfe. Mon père est peut-être en difficulté.

– Je comprends, dit le garçon.

Les deux Gontran s'étreignent une dernière fois. Puis le prince des elfes tire la clé de traverse de sa ceinture.

– Adieu, ami humain.

– Adieu, prince, répond Gontran. Adieu, Magellan. Si vous avez de nouveau besoin d'aide, n'hésitez pas. Je serai toujours là pour vous.

– Je n'oublierai jamais ton courage, répond l'homme-tigre. Jamais. Adieu, petit d'homme.

Puis les deux créatures de l'autre monde disparaissent dans la faille qui se referme aussitôt derrière eux.

Gontran met le point final à son texte. Puis il ferme l'ordinateur, assez satisfait de lui. Sa mère avait raison. Inventer des histoires, c'est un peu comme rêver. Bon, c'est vrai que c'est un peu plus fatigant, mais au moins personne n'arrête le récit au moment crucial.

Le garçon sort du chalet pour aller rejoindre ses parents qui se prélassent sur des chaises longues au bord du lac. Monsieur Gagné lit un magazine scientifique, pendant que madame Gagnon découpe une tablette de chocolat en petits morceaux. Elle prétend que ça fait durer le plaisir.

— Ça y est ? Tu as terminé ? demande monsieur Gagné en posant sa revue.

— Oui, je pense que oui.

— Et ça finit bien, ton histoire ? veut savoir sa mère.

— Évidemment ! Et c'est moi, le héros, à la fin ! Le prince des elfes fait accidentellement traverser le méchant Humbaba dans notre monde et c'est moi qui trouve le moyen de l'anéantir.

— Bravo, mon poussin. Je suis fière de toi !

— Et je fais ça grâce à une invention de papa.

— Oh ! Parce que je suis dans ton livre, moi aussi ! s'exclame monsieur Gagné aussi content que s'il passait à la télévision.

Madame Gagnon pose un morceau de chocolat sur sa langue et ferme les yeux.

— Mmmm...

Elle le laisse fondre doucement.

— Et tu as fait la vaisselle ? demande-t-elle en croquant avec délices dans la noisette.

— Non, mais je me baigne un peu et j'y vais. Je t'avais promis que tes rêves deviendraient réalité au moins une fois cet été. Je vais tenir parole.

Madame Gagnon prend un autre morceau de chocolat et le glisse dans sa bouche. Elle sourit. D'une main, elle attrape la main de son fils, de l'autre, celle de son mari. Son regard embué suit le trajet d'un oiseau qui vole au-dessus d'elle.

— La vie est tellement belle, soupire-t-elle. Beaucoup plus belle que n'importe quel rêve, aussi merveilleux soit-il. Vous ne trouvez pas ?

Carole Tremblay

Je rêve beaucoup. (Mais surtout quand je dors, j'avoue.) Ce ne serait pas un grave défaut si seulement je n'embêtais pas les gens qui ont le malheur de se réveiller en même temps que moi en leur faisant le récit détaillé et enthousiaste de mes rêves idiots alors qu'ils ont à peine les yeux ouverts.

Pas plus tard qu'hier, par exemple, j'ai rêvé qu'un de mes amis promenait son nouveau-né dans un aquarium à roulettes parce qu'il avait lu quelque part que les bébés aimaient l'eau. Quand je l'ai raconté à mes enfants, ils ont échangé un regard et ont continué à manger leurs céréales en faisant le plus de bruit possible, de peur qu'il y ait une suite et qu'ils soient obligés de l'écouter.

J'adore rêver. Le seul reproche que je peux faire aux rêves, c'est d'être trop fragiles. Ils nous lancent dans de folles aventures, puis ils s'effilochent avant qu'on soit rendus à la fin de l'histoire. C'est ce petit inconvénient que j'ai voulu régler en inventant ma machine à rêver. Je voulais un appareil qui offre du solide. Quelque chose avec un début, un milieu et une fin. Et puis, je voulais avoir le choix. On n'a pas toujours envie de rêver qu'un papa pousse un aquarium à roulettes. Ou que les œufs sont en spécial et que c'est le bon moment de faire des quiches. (Oui, j'ai déjà rêvé ça pour vrai !).

Alors, j'ai imaginé une machine qui me permettrait d'explorer des nouvelles planètes si j'en avais envie, de me transformer en hippopotame si ça me chantait ou de rencontrer des tribus de Pygmées si le cœur m'en disait.

Et puis, j'ai compris que cette machine existait déjà. Elle s'appelle un livre. Quand on lit, on peut visiter l'univers, voyager dans le temps, rencontrer des êtres fabuleux. Quand on écrit, c'est encore mieux. On est au volant du rêve. On l'emmène où on veut. On en fait ce qu'on veut. En écrivant, je suis libre d'être une mouche tsé-tsé, un camionneur chauve ou la reine de la galaxie. Je peux voler à reculons, chanter en chinois et escalader des montagnes en gougounes. C'est moi qui décide. Et je trouve ça merveilleux !

L'écriture est une véritable machine à rêver. C'est pour ça que pour moi, être auteure, c'est vraiment un métier de rêve.

Dans la collection Chat de gouttière

1. *La saison de basket de Fred*, de Roger Poupart.
2. *La loutre blanche*, de Julien Lambert.
3. *Méchant samedi !*, de Daniel Laverdure.
4. *Swampou*, de Gérald Gagnon.
5. *Zapper ou ne pas zapper*, d'Henriette Major.
6. *Un chien dans un jeu de quilles*, de Carole Tremblay. Prix Boomerang 2002.
7. *Petit Gros et Grand Chapeau*, de Luc Pouliot.
8. *Lia et le secret des choses,* de Danielle Simard.
9. *Les 111 existoires d'Augustine Chesterfield*, de Chantal Landry.
10. *Zak, le fantôme,* de Alain M. Bergeron, Prix Hackmatack 2004.
11. *Le nul et la chipie,* de François Barcelo. Lauréat du Prix TD 2005.
12. *La course contre le monstre,* de Luc Pouliot.
13. *L'atlas mystérieux,* tome 1, de Diane Bergeron. Finaliste au Prix Hackmatack 2005 et 2e position au Palmarès de Communication-Jeunesse 2005.
14. *L'atlas perdu,* tome 2, de Diane Bergeron. Prix Hackmatack 2007.
15. *L'atlas détraqué,* tome 3, de Diane Bergeron.
16. *La pluie rouge* et trois autres nouvelles, de Daniel Sernine, Louis Émond et Jean-Louis Trudel.
17. *Princesse à enlever,* de Pierre-Luc Lafrance.
18. *La mèche blanche*, de Camille Bouchard. Finaliste au Prix littéraire de la ville de Qébec 2006.
19. *Le monstre de la Côte-Nord,* de Camille Bouchard.
20. *La fugue de Hugues,* de Carole Tremblay.
21. *Les dents du fleuve,* de Luc Pouliot.
22. *Tout un programme*, de Daniel Laverdure.
23. *L'étrange monsieur Singh*, de Camille Bouchard.
24. *La fatigante et le fainéant*, de François Barcelo. Prix du Gouverneur général du Canada 2007.

25. *Les vampires des montagnes*, de Camille Bouchard.
26. *Pacte de vengeance*, de Camille Bouchard.
27. *Meurtre au Salon du livre*, de David Brodeur.
28. *L'île à la dérive*, de Diane Bergeron.
29. *Trafic à New York*, de Paul Roux.
30. *La zone rouge*, de Gaël Corboz.
31. *La grande Huguette Duquette*, de Sylvain Meunier.
32. *Le mystère de l'érable jaune*, de Jean-Pierre Davidts.
33. *L'atlas est de retour*, de Diane Bergeron, 4e position au Palmarès de Communication-Jeunesse 2010.
34. *Sans tambour ni trompette*, de Johanne Mercier.

Ce livre a été imprimé sur du papier Sylva enviro 100 % recyclé, traité sans chlore, accrédité Éco-Logo et fait à partir d'énergie biogaz.

Achevé d'imprimer
sur les presses de Marquis Imprimeur
en août 2010